賢《けん》慮《りよ》の世界史

国民の知力が国を守る

佐藤 優／岡部 伸

Sato Masaru / Okabe Noburu

PHP新書

はじめに　インテリジェンス・オフィサーの宿命

二〇二〇年の大晦日に英国がＥＵ（欧州連合）から完全離脱した。目標だった関税ゼロ貿易を継続とし、ＥＵ規則や欧州司法裁判所に従わず、移民制限などの主権を回復して、ＥＵと互恵関係を続ける可能性が残されたことは、英国の勝利といってもいいだろう。

筆者が、産経新聞のロンドン支局長だった二〇一六年六月に離脱を選択した国民投票から四年半。ＥＵの英国への懲罰姿勢を反映してか、大陸欧州に駐在する記者から「双方の合意なしの『破局』が濃厚。英首相の誤算」などとの悲観的な報道があるなかで、「メイ首相が妥協を示唆。ＥＵと『成熟した協力的関係』を維持したい」（二〇一六年十月二十三日付「産経新聞」朝刊国際面）から「英ＥＵの合意　世界の安定目指し協調を」（二〇二〇年十二月二十八日付「産経新聞」朝刊「主張」）などと前向きに報じ、本書の元になった月刊Ｖｏｉｃｅでの対談でも、最後に英国はドイツ主導のＥＵから円満離脱すると発信できたのは、幸いにもヒューミント

（人間を媒介とした諜報）とオシント（公開情報の分析による諜報）のインテリジェンス的手法を活用して、「最終的に英国とドイツは妥協する」と分析できたからだと自負している。

双方の首脳が相手を罵倒する激しい発言を繰り返し、それを額面どおりに解釈すれば、「合意なき離脱」は必至だった。しかし、発言内容を吟味すると、新型コロナウイルスが猛威を振るうなか、双方が決裂を望んでおらず、本音は「軟着陸する」ことにあると思えた。強硬な発言は、相手を譲歩させる駆け引きからだった。インテリジェンスの要諦である「行間を読み解く」重大さを改めて認識した。

こうしたインテリジェンス的取材の重要性に気づかせてくれたのが、ソ連崩壊直後のモスクワで知遇を得た元外務省主任分析官で作家の佐藤優さんだ。

外交官と特派員として出会った経緯は本文に記した。佐藤さんがただならぬインテリジェンス・オフィサーと知ったのは、サンクトペテルブルクのホテルで被った不可解な事件がきっかけだ。ロシアから東京の外務省に戻りながら頻繁にモスクワを訪問していた佐藤さんに、「間抜けな話」として披露すると、数週間後、ＫＧＢ（ソ連国家保安委員会）の後継、ＦＳＢ（ロシア連邦保安庁）と連絡をつけ、ＦＳＢが筆者への警告目的でルームサービスのボルシチに睡眠薬を入れて財布からドル札だけ抜きとったことを伝えてくれた。

睡眠薬の代わりに毒物を混入されれば、生命を奪われたかもしれない。苛烈《かれつ》なインテリジェンスの現場を垣間見た。佐藤さんはこれ以上の体験をしている。ロシアで、命懸けの業務を遂行した体験を共有した点で、佐藤さんとは「同士」だと秘《ひそ》かに思っている。

もう一つ、感謝したいことがある。不幸な国策捜査で陥った国家の罠から這《は》い上がり、作家として復活した佐藤さんと十数年前に再会した際、筆者に大戦中、北方領土問題の原点となったヤルタ密約情報をスクープしたスウェーデン駐在陸軍武官、小野寺信《まこと》の評伝執筆の背中を押してくれたことだ。

五百十二日に及ぶ小菅《こすげ》の独房での晴耕雨読によって「知の巨人」として「復権」した経験からか、同年代の筆者に、生涯現役で働けるよう、執筆を強く薦めてくれた。二〇一二年、渉猟《しょうりょう》した機密資料をオシントで解析して『消えたヤルタ密約緊急電――情報士官・小野寺信の孤独な戦い』(新潮選書)を上梓し、山本七平賞をいただいたが、あの時の佐藤さんの筆者への「発破」が無ければ、消えたヤルタ密約の解明は叶わなかったと思う。人間・小野寺信に執着できたのも、インテリジェンス・オフィサーとして国家に尽くしながら、国家に裏切られる同じ悲哀を味わった佐藤さんの存在が心にあったからだ。

ＰＨＰ研究所第一事業制作局の永田貴之局次長のご尽力で、佐藤さんとVoice誌で対談の機会をいただき、インテリジェンスの文法で、コロナ禍で中国が覇権主義を拡大する国際情勢の分析を試みた。米国の分断やブレグジットとEUの展望に加え、教育など明日の日本が生きる賢慮《けんりょ》（Wisdom）を探し出した。また、北方領土交渉で秘された真実の一端も明らかにした。英国が日本をアングロ・サクソン諜報同盟「ファイブ・アイズ」に招聘《しょうへい》している件では、まず加盟して環境整備すべしと提言した。情報大国ニッポンの未来を切り開く「シックス・アイズ」実現に向けて、国内議論がいっそう活性化されることを願ってやまない。

本書を上梓するにあたって佐藤さん、永田さんのご厚情に深く感謝したい。

二〇二一年二月一日、コロナ自粛が続く　東京・世田谷の自宅にて

岡部　伸

賢慮《けんりょ》の世界史

国民の知力が国を守る

目次

第1章　北方領土交渉の危機

第2章　国際情報戦の要諦

第3章　イギリスとEUの確執

第4章　アメリカの混乱と日本外交

の初期対応に失敗した日本／同調圧力、相互監視という国民の地金が表れた／ビッグデータを集める中国／ウイルスと共産主義の共通点／敵基地攻撃能力を備えよ／「山の国」台湾侵攻で想定される事態／心配なドイツの独自路線／日米離間こそ最悪のシナリオ

第5章　この国の未来を教育に託す

教育改革を「政争の具」にする愚かさ——

防諜の重要性を教えるイギリスの「教育番組」／「スパイゲーム」をして遊ぶイギリスの子供／実現しなかった現職外交官の語学試験／日中イギリス大使「舌戦」の結末／日本の教育改革における素人談義の滑稽さ／「グローバル人材の育成」の方針は正しい／センター試験に依存してきた私立大学の罪

※肩書は原則、当時のもの
※一ポンド＝一四一円で換算
※引用・参考文献は本文中に示した。文庫版があるものは原則、そちらを採用した

第1章
北方領土交渉の危機

根室・納沙布岬（手前）上空から見た歯舞群島（写真提出：北海道新聞社／時事通信フォト）

ソ連崩壊後の日ロ外交の一大失策

岡部　新聞社の特派員として感じた覚悟

私が佐藤さんに初めてお会いしたのは、一九九六年十二月、産経新聞のモスクワ支局長としてロシアに赴任する直前でした。いわゆるロシアンスクール（ロシア語を研修し、対ロ交渉に従事する外交官。ロシアの専門家の意）ではなかった私は、上司の指示で佐藤さんに教えを乞《こ》いにいったのです。

モスクワ赴任中、とりわけ鮮烈に覚えているのは、九七年四月、サンクトペテルブルクでホテルに宿泊した際に遭《あ》った出来事です。ルームサービスでボルシチを食べていたら、いつの間にか靴と服を着たまま寝てしまった。翌朝、目覚めてから驚き、パスポートは残っているのに、財布を調べるとドル札だけが抜かれている。ドアにはチェーンロックをかけていたはずで、何が起きたのかと思い、佐藤さんがモスクワに来られた折に相談しました。

さまざまな情報をもとに調べてもらったところ、ＦＳＢ（ロシア連邦保安庁、旧ＫＧＢ）からの私に対する警告だということでした。ボルシチに睡眠薬を混入し、コネクティンググルームから室内に侵入して犯行に及んだらしい。思い返してみると、たしかにいい記事を書こうと、何度か取材源に近づきすぎた節《ふし》があります。あるいは当時、私は先輩の仕事を引き継ぐかたちで「『日露』新潮流　X氏は語る」という企画を産経新聞で担当していました。北方領土交渉に深く関わる本音を日ロ双方の当事者に覆面形式で語らせる内容で、これもロシア側を刺激したかもしれない。特派員とはいかなる存在であるべきか、自分の覚悟を問われている気がしました。

佐藤　物取りを装うかたちで警告を与えた

東京・丸の内のパレスホテルの地下のレストランで、初めて岡部さんに会った日のことをよく覚えています。当時、私はモスクワから帰国して外務省の国際情報局分析第一課に勤務していました。日ロ関係が激しく動きはじめた九七年の秋ごろから、ほぼ二カ月に三回のペースでモスクワを訪れていました。

サンクトペテルブルクのホテルで岡部さんが睡眠薬を盛られたのは、何かＦＳＢの気に障《さわ》ることがあったからでしょう。

あの人たちも仕事ですから、無駄なことはしない。物取りを装うわかりやすいかたちで警告を与えたのは、おそらく「会ってはいけない人間に会っている」「とってはいけない情報を入手した」「立ち入り禁止の場所に入った」という三つのいずれかに抵触したからでしょう。もし岡部さんが彼らの警告を無視していれば、殺されずとも殴られるなど暴力を受けるか、国外追放になっていたと思われます。

岡部　日ロ関係を前進させた橋本三原則

佐藤さんのご指摘どおり、九七年秋から日ロ関係は一気に動き出した感がありました。きっかけは同年七月、橋本龍太郎首相の経済同友会における演説でしょう。日本側が「信頼、相互利益、長期的な視点」の三原則を掲げ、日ロ関係を改善する意思を示すと、ロシア側はすかさずこれに応じました。

わずか四カ月後の十一月、西シベリアのクラスノヤルスクで、橋本首相とエリツィン大統領によるネクタイなしの非公式会談が行なわれました（クラスノヤルスク会談）。そして「（北方四島――択捉島《えとろふとう》、国後島《くなしりとう》、歯舞群島《はぼまい》、色丹島《しこたんとう》――の帰属問題を解決することを明記した）九三年十月の東京宣言に基づき、二〇〇〇年までに平和条約を締結するよう全力を尽くす」という歴史的な合意がなされたのです。

当時は取材でロシア中を駆け回りながら得た情報を、モスクワで佐藤さんと一つひとつ共有しながら、貴重なアドバイスをいただきました。

佐藤　「東からのユーラシア外交」という戦略

橋本首相の演説からクラスノヤルスク会談に至るまでの経緯で注意すべきなのは、その背景にある地政学的な要因です。いくら日本側が甘い言葉を囁《ささや》いても、地政学的な変動が起きなければ、あのロシアが話に乗ってくるはずがない。それはすなわち、NATO（北大西洋条約機構）の東方拡大です。

八九年の冷戦終結後、一度はロシアとの協調姿勢を見せた西側は、一転してNATOに旧共産圏のチェコやポーランド、ハンガリーを組み入れ、再びロシアの封じ込めにかかります。しかし日本はこの動きに与《くみ》せず、それどころかアジア太平洋地域にロシアを誘い込もうとした。つまり、橋本首相の演説の裏には「東からのユーラシア外交」という戦略があったわけです。

当時の日本政府の方針は、帝国主義的な勢力均衡の考えに基づいていました。すなわち、アジア太平洋地域には四つの大国（日本、アメリカ、ロシア、中国）があり、日ロ関係以外はいずれもある程度、良好である。したがって、日本とロシアの関係改善は両国の利益になるだけでなく、近隣諸国の安定にもつながる。

この見方が意味するのは、アジア太平洋地域において、朝鮮半島やオーストラリアなどは従属変数にすぎないということです。日本の首脳がそうしたメッセージを発しても特段の反発が起きないほど、当時の日本の国力は強かったといえるでしょう。

岡部　「きょう解決する」エリツィン発言の真意

いま振り返ると、北方領土が日本にもっとも近づいたのはこの時期でした。少し長くなりますが、当時の情勢について整理しておきます。

クラスノヤルスク会談に立ち会ったロシア側の要人の一人に、ボリス・ネムツォフ氏がいます。エリツィン大統領の事実上の後継者と目された人物であり、ソ連崩壊後の九〇年代初めにはニジニ・ノヴゴロド州知事として経済改革を成功させ、三十七歳で第一副首相に登用された政権のホープでした。

ネムツォフ氏は同会談を振り返り、エニセイ川の船上で、エリツィン大統領が橋本首相に対して唐突に「平和条約を締結し、われわれが領土問題をきょう解決すべきだ」と北方四島の即時返還と解釈できる提案をしたので、ネムツォフ氏らロシア側の同席者が翻意させた、と述べています（二〇〇八年九月十七日付「北海道新聞」）。

この証言を裏付けるものとして、のちに強烈なプーチン批判が原因で脅迫を受け、イギリスに亡命したロシア人女性ジャーナリスト、エレーナ・トレグボワ氏も（ネムツォフ氏と思われる）側近の情報として、エリツィン大統領が橋本首相に「あなたの求める島をすべて返そう」と全島返還をクラスノヤルスク会談で約束した、と語っています（二〇〇八年七月二十七日付「産経新聞」）。

ネムツォフ氏は、のちのプーチン体制下では野党の指導者として反体制活動を展開していたが、二〇一五年二月二十七日、モスクワ川に架かる橋の上で何者かに銃撃されて命を落としてしまう。いまとなっては、エリツィン大統領がどのような意図で、どのように領土問題の解決を申し出たのか、真相は藪《やぶ》の中です。ちなみに船上会談に同席した丹波實《みのる》外務審議官は、エリツィン大統領が「今回の橋本総理の訪問は、一八五五年の日露和親条約の締結にも比べることの出来る歴史的な出来事」と述べたと証言しています（『増補版 日露外交秘話』丹波實著、中公文庫）。

エリツィン大統領がクラスノヤルスクからモスクワに戻った翌日、対日政策に携わるロシア外務省の高官から「会談の内容をよく聞かせてほしい」という電話が私宛てにありました。モスクワに三年半赴任しましたが、ロシアの高官から直接、電話をもらったのはこれが最初で最後です。

エリツィン大統領が橋本首相に何を語ったか、詳細は不明ながら、九三年の東京宣言に基づいて二〇〇〇年までに平和条約の締結をめざすクラスノヤルスク合意が発表された経緯を説明すると、高官はこう語りました。

「大統領がそこまで意欲を示して発言したのなら、われわれも全力で締結に取り組む。ただし（国民が反発しないように）静かにやらせてほしい。日本がロシアにとって真のパートナーになってくれるなら、（返還の）チャンスはある」

その高官は明言はしませんでしたが、ロシアの北方四島領有の法的有効性に疑念があることを認めているように感じました。日本との交渉の末に四島は返還されるかもしれない、私はそう感じました。一九九〇年代終わりのエリツィン時代、たしかにロシア側には日本と「歴史的和解」をする意思があったと考えてよいでしょう。

ところが、九八年夏にロシア金融危機が起き、エリツィン大統領の体調不良も重なったことで、クラスノヤルスク合意のモメンタム（勢い）は失われてしまった。日本側の代表が橋本首相から小渕恵三首相に代わってからもロシアとの交渉は続きましたが、その小渕首相も病《やまい》に斃《たお》れてしまった。

小渕氏の遺志を継いで、二〇〇〇年四月に就任した森喜朗首相がプーチン大統領と署名した「イルクーツク声明」では、一九五六年の日ソ共同宣言を交渉プロセスの出発点を設定した法的文書であるとしたうえで、九三年の東京宣言に基づき、四島の帰属の問題を解決して平和条約を締結することが再確認されました。

しかし小泉純一郎首相の時代になると、鈴木宗男氏の疑惑に連座するかたちで佐藤さんに「国策捜査」の手が伸びた（二〇〇〇年春、イスラエルで開かれた国際会議への派遣費用ほか不正支出の容疑）。対ロ交渉に関心のある人なら、イスラエル・ルートがもたらすロシア情報の価値を誰もが認めていました。私は、佐藤さんは無実であるといまでも確信しています。何より残念だったのは、対ロ交渉のキーマンであった佐藤さんが戦列から離れたことで、領土問題の解決が遠のいてしまった。

ロシアでは二〇二〇年七月、憲法に領土割譲を禁じる条項が盛り込まれ、北方領土問題の解決はなおさら難しくなってしまった。当時の無念が募る思いです。エリツィン時代のロシアでは北方領土問題を「スターリニズムの残滓《ざんし》」と捉え、これを除去することで西側主要国の仲間入りを図ろうとする意図があったように思います。

佐藤　領土返還の最大のチャンスはいつだったのか

いま岡部さんは、九七年から二〇〇一年ごろまでの日ロの動きをお話しされました。この期間に領土問題を解決するチャンスがあったことは確かです。しかし最大の好機は、ソ連が崩壊した一九九一年十二月二十五日から翌九二年までの時期でした。

九一年八月、モスクワでゴルバチョフ大統領に対してヤナーエフ副大統領らがクーデターを起こしたものの、失敗に終わるという事件がありました。さらに、ゴルバチョフからエリツィンへと徐々に権力が移るなかで同年九月、政権のナンバー2であるハズブラートフ最高

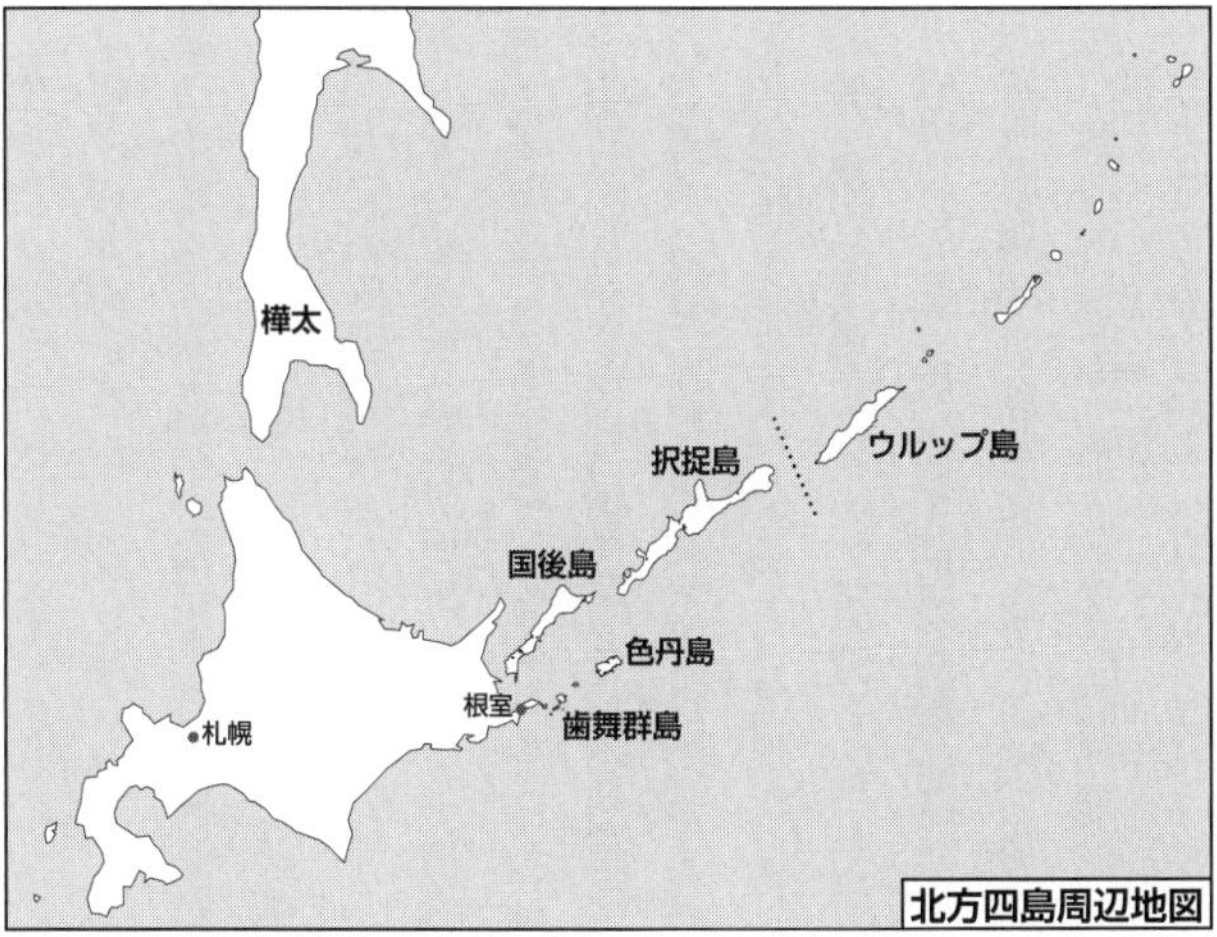

北方四島周辺地図

会議議長代行が来日します。第二次世界大戦における戦勝国と敗戦国の区別を放棄すること、領土問題を「法と公正（正義）」に基づいて解決することなどを記したエリツィン大統領の親書を、海部俊樹首相に渡しました。

その後の経緯については、拙著『新・リーダーのための教養講義 インプットとアウトプットの技法』（朝日新書）のなかで東郷和彦さん（元外務省欧亜局長、元オランダ大使）が詳述《しょうじゅつ》していますので、ここでは概略にとどめます。

九二年三月に訪日したコズイレフ外相は、当時の渡辺美智雄外相に対して、ある極秘提案をしました。歯舞・色丹二島についての引き渡し交渉をまず始め、そこで合意を得たら、法的に二島が日本に引き渡される協定を締結する。その後、協定に倣《なら》ったかたちで国後・択捉島についても交渉を行なう。そして最後に、四島の問題を解決する平和条約を結ぶ、というものです。

このとき、北方領土返還の好機を逃したのは、日本側の戦術的なミスによるものと私は見ています。いわゆる「2＋2方式」での返還交渉をロシア側は提案してきたわけですが、日本側はこれを蹴飛ばしてしまった。さらに、渡辺外相はあるセミナーで極秘提案の内容を漏らしてしまう。ロシア側は日本に不信感を抱き、エリツィン大統領の訪日延期という事態を招いてしまいました。

当時、ロシア側の提案を受け入れていれば、北方領土問題はすでに解決していたはずです。ところが、日本側はロシアの譲歩をソ連崩壊後の「弱さ」からくるものと見なし、一気に四島の一括返還を実現しようと欲を出して断ってしまった。まさに日ロ外交の一大失策だったと考えています。

私はここに、外交や国際ビジネスの交渉の場で日本人が失敗する理由が端的に表れていると思う。相手の譲歩を弱さと見て、交渉のハードルを上げようとするのは交渉術として明らかな間違いです。相手が交渉を放棄してしまうからです。相手が譲歩してきたら、そのまま受けるか、むしろこちらがさらに半歩譲歩する。交渉の前提となるのは「信義」であり、不信を与えることは交渉そのものを潰すことになりかねない。九二年の北方領土交渉における日本の選択は、失敗の典型例でした。

岡部　返還を前向きに検討していたシェワルナゼ外相

北方領土返還の最大のチャンスは九一年から九二年に遡《さかのぼ》る、とのお話はじつに慧眼《けいがん》です。さらに私から、その前に至る段階も確認しておきたいと思います。

ペレストロイカ（再建）を唱えたゴルバチョフ大統領の時代に、東西両陣営の平和共存をめざす「新思考外交」を進めたのがシェワルナゼ外相です。ソ連軍のアフガニスタン撤退や米ソ核軍縮交渉、そして東西ドイツの統一に積極的に取り組み、冷戦終結の立役者となった人物です。

モスクワ支局長時代の九八年、私は彼の腹心だったセルゲイ・タラセンコ氏（八五年から九〇年までソ連外務省政策企画局長兼補佐官）から、シェワルナゼ氏がかつては北方領土返還を前向きに検討していたことを聞きました。

タラセンコ氏によれば、シェワルナゼ氏は西側との関係改善に取り組むなかで、経済大国・

日本との関係正常化を図ることが重要だと考え、そのための障害となる領土問題の解決、つまり北方四島を返還したほうがよい、との結論を下していたといいます。北方四島は戦略的重要性が低く、旧ソ連には必要ないとの判断からでした。

さらにタラセンコ氏いわく、当時のソ連外務省では、日本との関係を正常化するために「返還する・しない」ではなく、「いつ返還するか」という考えが主流だった。公式には、「いかなる領土問題も存在しない」という強硬な姿勢をとっていたソ連外務省が、「早期返還を前向きに検討するという基本認識で一致していた」との舞台裏を聞き、たいへん驚いた記憶があります。

ソ連保守派の巻き返しが強まるなか、シェワルナゼ氏が「独裁が近づいている」と警鐘を鳴らし、外相を辞任したのが九〇年十二月のこと。「残念ながら、私たちには時間がなかった。シェワルナゼ氏がもう少し外相にとどまり、エネルギーをもっと集中していれば、日本との領土問題を解決できた」とタラセンコ氏が寂しそうに回想したのをよく覚えています。

最近、公開された外交文書によって、八八年七月に中曽根康弘元首相がソ連との融和を図ろうとモスクワを訪問した際、ゴルバチョフ共産党書記長は「領土問題は存在しない」との立場を堅持しながらも、日ソ間で問題解決の方策を模索する必要性を示したことが、明らかになっています。ゴルバチョフ政権が「外交のペレストロイカ」を進めるうえで、ドイツの再統一と北方領土返還交渉による日本との関係正常化（平和条約締結）を同時に目標としていたことは、きわめて興味深いと思います。

シェワルナゼ氏が成し遂げられなかった対日関係改善の流れは、その後、九一年四月のゴルバチョフ訪日、さらにソ連崩壊後の九二年三月、佐藤さんが紹介されたコズイレフ外相による極秘提案へとつながります。その原点が、シェワルナゼ外相による「新思考外交」にあったといえるかもしれません。

佐藤　ＩＮＦ全廃条約失効以降の位相に対応せよ

前述したように、ソ連崩壊後の日本は「東からのユーラシア外交」という他の西側諸国とは異なるベクトルで対ロ関係の改善をめざしました。ただし、これは必然的に日米同盟との調整を伴います。日米関係と日ロ関係を天秤《てんびん》にかける複雑な外交ゲームの構造は、現在も変わっていません。

仮に歯舞群島や色丹島が日本に返還された場合、日米安全保障条約第五条に基づき、アメリカ軍基地が同地にできる可能性があり、この理由をもってロシアは引き渡しに反対するという見方が一部にあります。

しかし、それは明白な誤りです。歯舞群島や色丹島に米軍がなくて日本の安全保障上、何の問題もありません。皇居の上をオスプレイが飛ぶことはないように、北方領土への米軍の展開など机上の空論にすぎない。

むしろ、問題は別のところにあります。日本がいまもっとも注視しなければならないのは、二〇一九年八月二日以降のパワーバランス、位相の変化です。

具体的には、ロシアはいまＩＮＦ（中距離核戦力）全廃条約の失効により、核弾頭を搭載可能な中距離ミサイルが日本領内に配備されるのではないかと懸念しています。

合理的に考えれば、ロシアの心配は杞憂《きゆう》です。日本のような国土が狭い国は、中距離ミサイルを配備しようにも基地の場所を隠しようがない。岡部さんもご存じのとおり、イギリスの場合は潜水艦に配備しています。もちろんアメリカに配備を要請されていない現状で、日本がロシアに対してわざわざ「配備しない」と通告することは合理的ではありません。

現在のところ、アメリカから中距離ミサイルの配備を求めるオファーはありませんが、対ロ関係において最大の懸案と思われるこのＩＮＦ問題がマスメディアでまったく議論されていないのが、私には不思議で仕方ありません。

ただ、安倍晋三首相はこの問題を意識していたと思います。二〇一九年十一月、カトリック教会トップの教皇フランシスコが来日した際、安倍首相は官邸で「核兵器のない世界」を実現する、と述べました。核兵器の廃絶についてあまり踏み込んだ発言をしてこなかった安倍首相が、それをローマ教皇の前で語ったというのは、国際公約に等しい。

これはＩＮＦ全廃条約以降の対応が念頭にあり、「日本領内に中距離核弾道ミサイルが配備されるのではないか」というロシアや中国の懸念を払拭《ふっしょく》しようとしているように映ります。背景には、何を言い出すかわからないトランプ大統領のような人物がいたこともあるでしょう。日本にとって、米ロの帝国主義的対立が激化していることを意識すべき局面だと思います。

ヤルタ密約の呪縛

岡部　菅首相の「終止符」発言の問題

安倍晋三首相は辞意表明時（二〇二〇年八月二十八日）、北朝鮮の拉致《らち》問題、憲法改正と併せて北方領土問題を残る課題として挙げました。安倍氏の「断腸の思い」を引き継ぐように、菅義偉首相が同年九月二十九日、ロシアのプーチン大統領と初の電話会談を行ないました。

菅首相は、「平和条約締結を含む日ロ関係全体を発展させていきたい、北方領土問題を次の世代に先送りさせず、終止符を打ちたい」とプーチンに呼び掛けました。ですが私は、この発言には問題があると考えています。

おそらく菅氏は領土問題について、文字どおり「終止符を打つ」覚悟を見せたかったのでしょう。しかし、ロシア側から具体的な反応は何もありません。領土問題が未解決のまま、主権を確認できずに現状維持の「終止符」では、誤ったメッセージになりかねません。何よりも危険なのは、ロシアが求める終止符は、実効支配中の北方領土を未来永劫《えいごう》、現状のまま据え置くことを意味するからです。

領土交渉の前提となるのは、両国の首脳同士の信頼関係です。安倍氏が歴代首相とまったく異なるのは、外交を外務省任せにせず、トランプやプーチンと直接、深い関係を築いて首脳外交を成功させた点でしょう。

そのうえで稀有《けう》なリーダーシップとともに、日本が提案した「自由で開かれたインド太平洋」戦略を世界で定着させ、世界を駆けめぐる行動力がありました。とりわけロシアとの領土交渉は、安倍氏でなければ進展は不可能といわれたほどです。

その意味で、七年八カ月にわたる安倍外交の成果の一つは、二〇一八年十一月十四日のシンガポールでの日ロ首脳会談です。「平和条約締結後に色丹島と歯舞群島を引き渡す」とした一九五六年の日ソ共同宣言を基礎に交渉を加速化し、平和条約を締結する合意を結びました。菅・プーチンの電話会談でもこの合意が確認されましたが、先の菅首相の発言を聞くとやや不安を覚えます。

佐藤　平和条約の締結に向けた交渉を

私も、外交に関しては安倍氏を高く評価しています。たとえば二〇一六年十二月十五日、山口県長門《ながと》市でプーチン大統領と首脳会談を行なった際、会談前の十一月十七日（現地時間）にニューヨークを訪問し、大統領当選を決めたばかりのトランプ氏と会談を行ないました。

会談の核心部分は明らかにされていませんが、おそらく日ロの首脳交渉を前に、トランプ氏の支持を取り付けたかったのでしょう。安倍外交にはそのような用意周到さがある。しかし結局、トップ同士の人間関係という資産を十分に使うことはできなかった。

北方領土に関しては、二〇二〇年七月に改正されたロシア憲法で「領土割譲禁止」条項が明記されるなど、交渉におけるハードルはむしろ上がっています。プーチン氏が権力の座についてから二十年間、指導者層の世代交代が進んでいない。結果として、ブレジネフ時代のソ連のような政策の硬直化が起きています。

他方で日本は、一九五六年の日ソ共同宣言を基礎に対ロ外交を進めるという原則をいっさい変えてはいけない。シンガポールでの安倍・プーチン会談の翌日、プーチン氏は日ソ共同宣言について「どんな根拠に基づいて引き渡すかは書かれていないし、どの国の主権下に島が置かれるかも書かれていないし、どんな根拠でそれが行なわれるかも書かれていない」と発言しました。しかし、法的にこの主張は成り立ちません。

日ソ共同宣言の第九項には、「ソヴィエト社会主義共和国連邦は、日本国の要望にこたえかつ日本国の利益を考慮して、歯舞群島及び色丹島を日本国に引き渡すことに同意する。ただし、これらの諸島は、日本国とソヴィエト社会主義共和国連邦との間の平和条約が締結された後に現実に引き渡されるものとする」と記されています。

ここで歯舞群島と色丹島を日本に「引き渡す」（ロシア語で「ペレダーチャ」）と書いてある点に、注意が必要です。ロシアが、クリル諸島（北方四島と千島列島に対するロシア側の呼称）領有を合法化する根拠とするのが、ヤルタ協定の第三項「クリル諸島がソヴィエト連邦に引き渡されること」です。同項の「引き渡される」の箇所も、ロシア語はやはり「ペレダーチャ」。先のプーチン氏の解釈でいえば、ヤルタ協定によって千島列島の主権はロシアに移っておらず、いまだに日本の主権下にあることになる。これはロシアにとってたいへん都合が悪い。

こうした法解釈に基づく根本的な議論を今後、日ロの首脳レベルで徹底的に行なうべきでしょう。ロシアが北方領土の返還に応じなければ、日本が「平和条約を結ばない」という選択もありうる。現にいま、ドイツとロシアとのあいだに平和条約は結ばれていません。

もっとも、ソ連に対して戦争を仕掛けたドイツとソ連によって侵略された日本では、あの戦争のもつ意味が異なります。平和条約締結を断念した場合、日本人の対ロシア感情はかなり悪化するでしょう。日本政府は、ロシア側の対応いかんで、日本国民の対ロ感情が急速に悪化することをクレムリンに伝え、あくまでも平和条約の締結に向けた交渉を粘り強く続けるべきです。

岡部　ヤルタ密約に署名したチャーチルの釈明

ロシアがソ連時代から北方四島を領有してきた根拠が、まさにヤルタ会談時に交わされた「ヤルタ密約（極東条項）」です。

ヤルタ会談は、ご承知のように第二次世界大戦末期の四五年二月四日、ソ連のクリミア半島にある保養地ヤルタにアメリカのルーズベルト大統領、ソ連のスターリン首相、イギリスのチャーチル首相の三巨頭が集まったものです。

ドイツの分割統治やポーランドやバルト三国（エストニア、ラトビア、リトアニア）の戦後処理、国際連合の設立などについて話し合い、同月十一日にヤルタ協定が署名・発表されました。そのなかに、ソ連参戦の見返りとして、南樺太《からふと》の返還、千島列島の引き渡しなど、広範囲な極東の権益を与えることを確約した秘密協定が結ばれていたのです。

ソ連はこのヤルタ密約に基づいて、四五年八月九日、当時まだ有効だった日ソ中立条約を破って南樺太と千島列島、そして帝政ロシア時代から日本の領土だった北方四島に侵攻します。ソ連の後継国家であるロシアがヤルタ密約を根拠に北方領土の領有権を主張した結果、いまも日本とのあいだに平和条約がない状態が継続している。

ヤルタ密約は、あくまでも連合国の首脳が交わしたものにすぎません。当事国の日本が関与しない領土移転は国際法に反しており、無効です。日本政府も以前から、北方領土の領有権はヤルタ密約に拘束されない立場を堅持しています。

戦後のアメリカは、日本の立場を支持してソ連の法的根拠を認めない姿勢を示してきました。五一年にサンフランシスコ平和条約を批准承認する際、米上院がソ連に有利となるヤルタ密約の項目を含めないとする決議を行なっています。

さらに、五三年に大統領に就任した共和党のアイゼンハワーは年頭教書演説で「あらゆる秘密協定は破棄する」と宣言。五六年には、同政権下で「ヤルタ協定はルーズベルト個人の文書であり、米国政府の公式文書ではなく、無効である」という内容の国務省声明を発表し、ソ連の領土占有に法的根拠を認めない立場を鮮明にしました。

私は産経新聞社ロンドン支局長として赴任中に、英国立公文書館でチャーチルの書簡を偶然、見つけたことがあります。内容は五三年二月、アイゼンハワー大統領の密約破棄宣言を受けて「米ソ首脳が頭越しで決定した。両国との結束を乱したくなかった」と、チャーチル首相が不本意ながらヤルタ密約に署名したことを示すものでした（同年二月二十二日付）。文書はイーデン外相に宛てたもので、末尾にチャーチル氏の名前がイニシャル「W. S. C.」で記されています。

チャーチル首相は、ヤルタ密約はルーズベルト大統領とスターリン首相が「直接取り決めた」ものであり、「すべての事項がすでに（米ソで）合意されたあとに（会議終盤の）昼食会で知らされた」「私たちは（取り決めに）まったく参加しなかった」と主張。密約がイギリスの頭越しに、米ソ間で結ばれたことを強調しています。さらに「（連合軍の）結束を乱したくなかったのも事実だ」と釈明しています。この史料により、チャーチル首相が戦後、ソ連による北方四島領有の正当性を疑っていたことが明らかになりました。

ヤルタ協定に対するイギリス政府の立場について、二〇〇六年二月八日、鈴木宗男議員が国会で質問・確認したことがあります。そのなかで日本政府は「英国政府の見解は、英国政府との関係もあり、お答えを差し控えたいが、（ヤルタ協定に拘束されないという）我が国の認識を否定するものではない」と回答しています（衆議院ホームページ、二〇〇六年十月三十一日）。

私が日英外交筋に取材したところでは、日本の立場を支持する回答を得たのは、サッチャー政権の時代だと思われます。英国立公文書館にある密約の原本はソ連側が作成したもので、それによると千島列島を「ペレダーチャ」（英訳でリターン）と記したのもソ連でした。まさしく佐藤さんが指摘されたように、一九五六年の日ソ共同宣言に記された「ペレダーチャ」と同じです。イギリスが公式にヤルタ密約の法的有効性に対する疑念を表明してくれれば、ソ連の領土占有の根拠は完全に崩れ去るでしょう。

佐藤　日本政府がつくり出した「神話」

ヤルタ密約でソ連に南樺太と千島列島の占有を認めたのは、たしかにチャーチルの誤りだったかもしれない。しかし、リアリズムの外交を貫くイギリスが、いまになって密約をひっくり返す可能性はありません。

実際、五六年九月にアメリカは公式文書「日ソ交渉に対する米国覚書」で択捉、国後両島はサンフランシスコ平和（講和）条約（一九五一年九月八日調印）で日本が放棄した千島列島に含まれないことを日本に伝えているけれども、イギリスの文書のほうは公開されていない。これはイギリスが日本と異なる立場をとっていたからだと思われます。

また、吉田茂首相はソ連に占領された北方四島を、一体のものとして返還要求しなかった。これも歴史的事実です。

先述のように第二次世界大戦中、連合国の合意によってクリル諸島が合法的にソ連に移った、とロシアが主張する根拠がヤルタ協定です。そして、日本はサンフランシスコ平和条約第二条C項で、千島列島並びに樺太の一部及びこれに近接する諸島を放棄している。

つまり、日本が南樺太と千島列島を放棄するという点に限れば、ヤルタ協定との齟齬《そご》は生じていない。問題は、千島列島の「範囲」です。

サンフランシスコ講和会議の受諾演説（五一年九月七日）のなかで、吉田首相は次のように述べています。

「千島列島及び南樺太の地域は日本が侵略によって奪取したものだとのソ連全権の主張は承服いたしかねます。

日本開国の当時、千島南部の二島、択捉、国後両島が日本領であることについては帝政ロシアもなんら異義を挿《は》さまなかったのであります」（外務省　サン・フランシスコ会議議事録）「千島南部」という言い方をしていますが、当時の吉田首相が千島列島に択捉、国後両島が含まれると認識していたのは明らかです。サンフランシスコ平和条約の批准承認案を審議した国会でも、政府は両島が千島列島に含まれることを明確に述べている。

日本政府が「五一年に放棄した千島列島に国後島と択捉島は含まれる」という統一見解を覆《くつがえ》すのは、五六年の日ソ共同宣言に向けた交渉が行なわれているころです。

このとき、「日本政府は一貫して北方四島の返還を要求してきた」という「物語」が生まれ、国民がそれを信じることによって「神話」にまで高められました。しかし、前述の千島列島並びに樺太の一部及びこれに近接する諸島を放棄したことから、国際法上はまったく通らない主張です。

その一方で、色丹島、歯舞群島を北海道の一部（千島列島に含まれない）とする日本の立場は、吉田首相の講和受諾演説から一貫しています。しかも日ソ共同宣言で「引き渡し」が明言されており、日本の立場は国際法上もたいへん強い。

岡部 「ダレスの恫喝」は二度あった

国後、択捉両島を含む北方四島が、歴史的に見て日本の領土であることは疑いありません。その一方で、北方領土問題に関しては長年、国民に知らされてこなかった事実が多く埋もれています。

たとえば五五年六月から九月にかけて、翌年の日ソ共同宣言に至る予備交渉が、ロンドンのケンジントンにあるソ連大使館で行なわれました。当時の鳩山一郎首相から全権代表に任命された松本俊一に託された仕事は、在ソ抑留邦人の帰還や漁業問題など数多く、最大の課題は戦争状態の終結と国交回復、とりわけ北方領土問題の解決でした。

重光葵外相から松本全権に下された領土問題における訓令は、①国後、択捉、歯舞、色丹の四島返還、②四島返還が困難である場合、歯舞、色丹の返還でした（外交団に参加した元外交官の証言）。

六月三日に始まった交渉の当初、日本は四島返還を主張し、交渉は膠着《こうちゃく》状態となりましたが、八月初めに、歯舞、色丹の引き渡しにソ連が譲歩し、二島返還で折り合いをつけようとした。重光の訓令②に、四島返還が困難の場合、二島返還をめざせとあったからです。

　ところが同月二十七日、外務省から急遽《きゆうきよ》「四島返還」の訓令が発せられます。対ソ宥和に乗り気でない重光外相の意向が強く働いていたともいわれますが、これでソ連側が態度を硬化させた結果、交渉は決裂しました。

　翌五六年七月三十一日に再開した国交回復交渉で、首席全権を務めたのは重光外相でした。交渉前は四島返還を主張していた重光は、交渉の途中でいきなり豹変《ひようへん》し、二島返還による平和条約の締結を独断で図ろうとします。しかし閣僚たちからこぞって反対され、交渉は頓挫《とんざ》しました。

　さらに、重光外相は八月十九日、在ロンドンのアメリカ大使館で国務長官のダレスから「もし日本が国後、択捉をソ連に帰属せしめたなら、沖縄をアメリカの領土とする」（『増補　日ソ国交回復秘録』松本俊一著、佐藤優解説、朝日新聞出版）と圧力をかけられます。「ダレスの恫喝《どうかつ》」といわれる有名な戦後史の一幕です。アメリカは、領土問題が進展して日ソが接近することを強く警戒していたのです。

　この「ダレスの恫喝」について、佐藤さんは以前、次のように述べていました。

「それ（五六年八月）以前にも米国務省がワシントンの日本大使館に『日本がソ連案を受諾

するならば、米国は沖縄を併合することができる地位に立つ』と伝達してきた経緯があるので、『ダレスの恫喝』は個人的発言ではなく、米国の国家意思に基づいたものだ」(二〇一七年一月十四日付「現代ビジネス」、「佐藤優が説く！『結局、北方領土は戻ってくるのか』問題のカギ」)

右のように、一九五六年八月の「ダレスの恫喝」以前にも、日本への圧力があったことを示唆されたわけですが、それを裏付ける公文書を二〇一九年十二月、外務省が公開しました。一九五五年八月二十九日、ワシントンで行なわれた重光・ダレス会談で、同じくダレスが四島返還を主張し、二島返還の決着による日ソ接近を制止していたことが判明したのです。

五五年に行なわれたロンドンの予備交渉での二島から四島への方針変更も、ダレスからの圧力が原因だった可能性があります。東西の冷戦時代、北方領土問題の陰の主役はアメリカだったということになります。

そして、いまも日本の同盟国であるアメリカが北方領土問題の重要なプレイヤーであることに変わりはありません。だからこそ、佐藤さんが話されたように安倍氏は地元・山口でのプーチン大統領との首脳会談を前に、次期アメリカ大統領であるトランプ氏との会見をわざわざ組み込むという離れ業《わざ》をやってのけた。

ここでアメリカに目を転じると、トランプ大統領には対中国包囲網のなかにロシアを加える構想があったという話があります。しかし、核軍縮条約問題などで激しく対立する米ロ両国が手を結ぶのは、現実性に乏《とぼ》しい。半面、プーチン氏にとって中国の拡張的な覇権主義を見過ごすのは、ロシアの相対的な地位低下を招くばかりか、中長期的には、ロシアにとって中国こそ戦略的脅威となる可能性がある。

そのため、日本との連携は中国を牽制《けんせい》する有効なカードになりえます。日米ロのあいだには複雑なパワーゲームが存在する、といえるでしょう。

佐藤　領土交渉は要求する側のほうが強い

おっしゃる米ロ連携の可能性について、まったくないとは言い切れません。たとえば、フランスのエマニュエル・トッド氏（歴史人口学者・家族人類学者）は以下のように述べています。「昔、フランスはオーストリア帝国への対抗策として、プロイセンと同盟を組んでいました。しかしそこで同盟関係の反転が起きます。フランスはオーストリアと、プロイセンはイギリスと同盟を組むのです。そして七年戦争に突入し、フランスは敗戦します。

このように歴史においてはある時突然、戦略的な変化が訪れることがあります。キッシンジャーとニクソンが共産主義圏を壊すために中国に歩み寄ったことなどもそういう例の一つです。そして現在、どうもこの戦略的な構図が通常とは異なる様相を見せています。無責任で、経済的にも非現実路線を行く二つの権力が中国とドイツです。そして世界は、この構図の再編成への準備を整えたように見えます。そこではアメリカとロシアが世界平和を保つために同盟を組むでしょう」（『大分断』大野舞訳、ＰＨＰ新書）

プーチン大統領にとって重要なのは、主要国間の地政学的均衡を維持することであり、ロシアと中国が運命共同体になることまでは望んでいないと考えられます。

いずれにせよ、領土交渉というのは要求する側のほうが強い。ロシアは日本から返還要求を突きつけられており、交渉停止を言い出す立場にはない。日本側は交渉の主導権がこちらにあることを自覚して、引き続き機動力をもって領土交渉を続けていくべきです。

第2章　国際情報戦の要諦

ロンドン・テムズ川南岸のヴォクスホールにある
MI6（情報局秘密情報部）の本部（写真：岡部 伸）

激化する英ロのインテリジェンス戦争

岡部　リトビネンコ毒殺事件の真相

旧ソ連やロシアでは、政権に批判的な政治家やジャーナリストがしばしば脅迫や暗殺に遭ってきました。前章で話に出たエリツィン大統領の後継者候補だったネムツォフ氏は、政権内の権力闘争に敗れて失脚したのち、プーチン体制下で野党の指導者として反体制活動を展開しますが、何者かに銃撃され、命を落としました。

そこで以前から真相をお聞きしたいと思っていたのが、二〇〇六年十一月に起きたアレクサンドル・リトビネンコ毒殺事件です。

リトビネンコは、ＫＧＢ（ソ連国家保安委員会）の防諜部門とＦＳＢのテロ・組織犯罪対策部門に勤めていました。彼は政商ベレゾフスキーの暗殺を命じられながら、一九九八年十一月、ＦＳＢの命令を内部告発して逮捕されます。当時、リトビネンコの上司だったのがＦＳＢ長官のプーチンです。リトビネンコは無罪となるものの、翌年に再び逮捕され、再釈放された二〇〇〇年十一月に家族を連れてイギリスに亡命しました。

リトビネンコは亡命後、反プーチンの言論を次々と展開します。たとえば、一九九九年にモスクワなど三都市で起きた高層アパート爆破事件。三〇〇人近い死者を出した爆破はチェチェン独立派によるものではなく、ＦＳＢ長官プーチンの指示による自作自演のテロだったと糾弾《きゅうだん》しました。当時、ロシア大統領の座を狙っていたプーチンは、爆破事件を口実に第二次チェチェン侵攻を行ない、国民にリーダーシップを誇示して圧倒的な支持を得たというのです。

そのリトビネンコは二〇〇六年、ロンドンで放射性物質のポロニウム２１０を飲まされて毒殺されました。早くからロシアのＦＳＢの関与を疑っていたイギリス政府は、内務省管轄のＭＩ５（情報局保安部）やＭＩ６（情報局秘密情報部）に調査を命じます。

翌〇七年、容疑者を特定したとして元ＫＧＢ職員の身柄引き渡しをロシア政府に要請しましたが、ロシアはこれを拒否します。イギリスは制裁措置としてロシアの外交官四人を国外追放しますが、ロシア側も報復措置として同じく四人のイギリス外交官を国外追放にしました。

その後もイギリス政府は調査を続け、二〇一六年一月、独立調査委員会による最終報告書が発表されました。ちょうど私が産経新聞のロンドン支局長として赴任していたころで、ブレグジット（イギリスのEU離脱）を決める国民投票が実施される五カ月前です。

この報告書は、一九九九年のモスクワなどにおける高層アパート爆破事件はFSBによる偽装テロだというリトビネンコの主張を認めたうえで、彼の殺害はおそらくプーチンの指示によるものだと指摘しています。イギリス政府は明確にロシア政府と正面衝突するかたちで、プーチン大統領のかつての悪事を世界に向けて暴露したことになります。

一連の事態は、英ロのインテリジェンス（諜報《ちょうほう》・情報活動）における対立がかつてないほど激化していることを感じさせます。佐藤さんはどのように見ているでしょうか。

佐藤　武器ビジネスに関わるトラブルか

プーチンによる謀殺説はリトビネンコ殺害当初からありましたが、私はまるで説得力がないと考えています。理由は簡単で、仮にロシアが国家的に関与したとして、暗殺が露見するリスクに見合うだけの価値がリトビネンコ殺害にあるとは思えないからです。

逆に、リトビネンコ事件がロシアに対する警戒感を高めるイギリス政府による「国際情報戦」の一環だったとしたら、よくできた手法です。暗殺への関与が事実か否かにかかわらず、ロシアは否定する以外に選択肢がないからです。

やっていないことを証明するのは「悪魔の証明」（事実の非存在を示す困難な立証）です。他方、イギリスとしてはロシアが否定しようがしまいが、ロシアの国際的評価を下げることができる。

では、仮にロシアの関与がなかったとして、リトビネンコ殺害の真犯人は誰だったのか。じつはリトビネンコが殺害された直後、日本のある外国人が私に接触を求めてきました。事件に関するデータを提供するから、それを評価してくれという。そのとき、リトビネンコ殺害には大きな国際的ネットワークが動いていると実感しました。

リトビネンコは、ロンドンで武器ビジネスに関与していました。彼は死ぬ前にイスラム教徒に改宗しましたが、おそらくチェチェン・マフィアと関係があるでしょう。リトビネンコは武器ビジネスに関わる何らかのトラブルによって殺された、というのが私の見方です。ポロニウムによる毒殺という陰惨なかたちで殺したのは、ほかの者への見せしめだと思います。

残る問題は、ポロニウムをどうやって入手したかです。ポロニウムは通常、国家の管理下にあり、簡単には持ち出せない。

この点でロシアが特異なのは、政府機関の末端部分と犯罪組織の交流が緊密であること。たとえば、エリツィン政権時代に設立されたスポーツ観光国家委員会は、最初から利権と汚職の巣窟《そうくつ》のような組織でした。さらにプーチン政権の時代になると、裏社会を仕切るようになります。ロシアは国土があまりにも広いため、警察の対応や裁判の手続きに時間が掛かる。面倒なときは、マフィアのような直接的な暴力装置を使って処理してしまうことがあります。

こうしたロシア国内の特殊事情から、リトビネンコ殺害に使われたポロニウムが国家管理の隙《すき》を突いてマフィアグループによって運び出された可能性があります。むろん確証はないので、真相はいまだ不明な部分が多いといわざるをえません。

二〇一八年のスクリパリ事件（イギリス南西部ソールズベリーでロシアの元スパイ、セルゲイ・スクリパリと娘のユリアが有毒神経剤ノビチョクによる毒殺未遂に遭う）でも、イギリス政府はロシア政府の関与を主張しましたが、確証はありません。イギリスはノビチョクがロシアで生産されたものだと訴えましたが、その後、チェコのゼマン大統領が自国でも生産していたことを認めています。

岡部　西側を結束させたイギリスの情報提供

当時、ロンドンに赴任していた私は、スクリパリ事件をリアルタイムで追っていました。イギリス中がハチの巣をつついたような騒ぎだった記憶があります。

じつはスクリパリは一時期、イギリスのＭＩ６にリクルートされて「二重スパイ」になっていたことがあります。ロシア当局から国家反逆罪に問われて禁固十三年の有罪判決を受けましたが、恩赦になって出獄したのち、〝美しすぎるスパイ〟アンナ・チャップマンらとの交換でイギリスに亡命したという変わり種の人物です。

ＢＢＣ（英国放送協会）などによると、スクリパリは定期的にロンドンのロシア大使館を訪問して軍の情報将校と接触する一方で、ＭＩ６との接触を継続していたようです。事件当時も、イギリス側への情報提供を続けていた可能性があります。

当時、ボリス・ジョンソン外相（現首相）は、スクリパリはロシア政府による報復の対象になった可能性があるとし、ノビチョクの使用は「プーチン大統領が決断した可能性が非常に高い」と明言しました。イギリスのＭＩ５は、空港の出入国記録やＣＣＴＶ（監視カメラ）の映像から、ＧＲＵ（ロシア連邦軍参謀本部情報総局）による組織的犯行であるとの情報をＢ

BCなどで世界中に発信しました。

　イギリスの民間調査報道団体「ベリングキャット」が公開情報を分析してGRUの暗殺部隊である軍医など複数の容疑者を割り出し、発表しています。「ベリングキャット」はロシアのある反体制指導者の毒殺未遂事件でも、FSBの関与を明らかにしており、信頼できます。

　しかしながら、プーチン大統領の意向を「忖度《そんたく》」してヨーロッパを不安定化させる秘密の情報組織、あるいはマフィアによる関与説も指摘されています。

　いずれにせよ、イギリスの態度はきわめて明確でした。メイ首相はロシアの外交官二三人の国外追放に加え、閣僚レベルの外交交流の中断、二〇一八年六月開幕のサッカー・ワールドカップ（W杯）ロシア大会へのイギリス王室や政府要人の派遣見送りなどを含む厳しい制裁措置をとりました。

　メイ氏が繰り返し強調したのは、スクリパリ事件は「西側諸国全体への脅威である」という点です。この呼び掛けに対してアメリカのトランプ大統領、ドイツのメルケル首相、フランスのマクロン大統領が応じ、英・米・独・仏の四カ国が足並みを揃えてロシアを批判する共同声明を発表し、イギリスをはじめ二九カ国がロシア外交官約一五〇人を追放しました。

国際情報戦を知悉《ちしつ》した見事な手並みだと思います。

もともとイギリスは、「ファイブ・アイズ」（英語で五つの目を意味する）と呼ばれるアングロ・サクソンの五カ国（イギリス、アメリカ、カナダ、オーストラリア、ニュージーランド）間で機密情報を共有しています。ドイツやフランスなど西側が即座にイギリス支持を打ち出したのは、イギリスの情報機関がファイブ・アイズ以外のドイツやフランスなどに史上初めて確証となる機密情報（ＧＲＵによる国家犯罪）を提供したからだといわれています。

すなわちスクリパリ事件は、イギリスのＥＵ離脱やトランプ政権の通商政策で亀裂《きれつ》が入りつつあったアメリカ、イギリス、ヨーロッパの関係を一時的であれ修復、結束させる契機となったのです。他方、イギリスからドイツやフランスにもたらされた機密情報は、日本にはまったく提供されませんでした。

日英関係筋に取材すると、「情報機関のない国に機密情報を提供すると漏洩《ろうえい》リスクがあると判断されたのではないか」という。先進国で唯一、情報機関をもたない日本の悲哀を現地で実感しました。

もう一つ、思い出すことは、事件後、旧東ドイツに潜入していたＭＩ６の工作員がオフレコで開いた少人数での記者会見で、ロシアのジャーナリストと称する人物が参加して執拗《しつよう》にスクリパリのＭＩ６のコントローラーは誰かと質問したことです。ナンバー10（首相官邸）の会見では見たことがなかった人物なので、奇異に感じました。

なぜゴーン逃亡を阻止できなかったか

佐藤　逃亡を助けたプロ集団

日本のインテリジェンスの現状を知るうえで参考になるのが、二〇一九年十二月、保釈中に日本からレバノンのベイルートに出国したカルロス・ゴーン被告人の逃亡事件です。

ゴーン逃亡を許した要因の一つは、検察の見張りが解かれていたことです。警察とは違い、検察には専門の尾行要員がおらず、検察事務官が見張っている。ところが当時、ＩＲ（統合型リゾート）をめぐる収賄《しゅうわい》容疑で秋元司衆議院議員が逮捕されたことで、検察側のマンパワーが割《さ》かれ、見張り要員がいなくなってしまった。

ゴーン監視にあたっては、日産自動車が独自に手配したチームもいたのですが、彼に「人権侵害だ」と訴えられて見張りを解除してしまった。その隙を突いて逃げられたわけです。

それまでゴーンを尾行していたのは主に公安警察ＯＢで、彼らは尾行のプロです。素人のゴーンが尾行に気づくはずはなく、さらに上回るプロの集団が、ゴーンの尾行チームを逆監視していた節もあります。ゴーンを出国させるにあたり、関西国際空港の出国管理の脆弱《ぜいじゃく》性《せい》も当然、調べ上げていたでしょう。

ゴーン出国後、日本のメディアは米「ウォール・ストリート・ジャーナル」電子版の情報を後追いしていましたが、同紙に情報をリークしたのもおそらくゴーン側の人間でしょう。日本語版があるので、英語に弱い国内のメディアが釣られるのは計算内でした。たとえば、グリーンベレー（アメリカ陸軍特殊部隊）出身者の協力が報じられましたが、通常なら顔写真が公開されているような人物を秘密のオペレーションに起用することはありえない。報道の注意を逸《そ》らすための〝咬《か》ませ犬〟として使われたとも考えられます。背後に秘密のネットワークがあると思います。

ゴーンは、関西国際空港からトルコのイスタンブールを経てレバノンに向かいました。逮捕されたトルコ人のパイロットは何を運んだのか、おそらく知らされていなかったことでしょう。

これは、オレオレ詐欺の「入れ子」と「出し子」の関係と一緒です。ＡＴＭから金を引き出す「出し子」は、詐欺の主犯格である「入れ子」の素性を知らないケースが多い。よく映画にゲシュタポ（ナチスドイツの秘密警察）の拷問に屈しない意志強固な人物が出てきますが、現代ではありえません。物理的暴力に加えて薬物を用いた最新の尋問技術により、知っていることは何でも吐いてしまう。だから、インテリジェンスの世界で自分の身を守る唯一の方法は、「何も知らないこと」「何も知らせないこと」です。

ゴーンの逃亡を企図したのは、おそらく民間のインテリジェンス集団でしょう。日本でいえば、不動産詐欺をはたらく「地面師《じめんし》」のような組織形態で、詐欺師の素性を隠して掃除のおばさんを務めているような人間が、一回限りでミッションのチームに加わる。事が終わればチームは解散するから、実態はなかなか把握できない。ゴーンはそうしたプロ集団と付き合いがあったのかもしれません。

私はゴーンの逃亡前から、彼は船（クルーザー）を使って逃げるだろうと周囲に話していました。実際には飛行機でしたが、逃げ出すことは確信していた。というのも最初、東京地方検察庁の特捜部は金融商品取引法違反でゴーンを逮捕しましたが、頑として認めないため、特別背任罪で追起訴しました。それでもゴーンは認めないどころか保釈を申請したため、頭にきた検察は特別背任罪を掛けて再逮捕した。

金融商品取引法違反と特別背任罪がそれぞれ二重に科され、最高量刑は懲役十五年。過去の例からいうと、検察の求刑は十二年あたりが相場でしょう。すると裁判官が出す判決は、八年ぐらいが妥当になります。求刑の七割以下の判決だと検察が控訴する可能性が高くなり、裁判官が出世するための条件として「検察官から控訴を受けてはならない」という不文律があるからです。

さらに最高裁まで争うとなると、裁判が終わるまで優に十年はかかる。当時六十五歳のゴーンが、刑期を終えて出所するころには八十歳を超えることになる。

日本の刑務所の医療環境は劣悪ですから、高齢者のゴーンにとって獄中死は目に見えていた。仮に逃亡に失敗しても、密出国により刑期が一年延びるだけだから、獄中死のリスクと天秤にかけて必ず逃亡を試みるだろうと踏んだわけです。

岡部　「アジアの野蛮国」というレッテルを剝がせ

東京拘置所に五百十二日間も勾留《こうりゅう》された佐藤さんならではの、説得力ある分析ですね。佐藤さんのご指摘のとおり、事件の背後に大掛かりな「民間インテリジェンス」チームがあったことは間違いありません。カネさえあれば、法律の抜け道を用意する富裕層相手のダーク・ビジネス集団ではないでしょうか。ゴーン被告にこれほどの「悪の人脈」があったのかと驚《きょう》愕《がく》します。

ベイルートへの逃亡から一週間も経たないうちに、米「ウォール・ストリート・ジャーナル」や「ニューヨーク・タイムズ」、英「フィナンシャル・タイムズ」などでいっせいに「逃亡作戦」の全容が報じられたのも異様でした。

佐藤さんが咬ませ犬と指摘した元グリーンベレー隊員マイケル・テイラーは、ＦＢＩ（アメリカ連邦捜査局）への賄賂と詐欺罪で逮捕・服役した過去を報道されていました。

そして、そのテイラーが親しかったのがＦＢＩの捜査官ジョン・コノリーです。コノリーは、暴虐非道のかぎりを尽くしたボストン・ギャングのボス、ジェームズ・バルジャーと癒着して「ＦＢＩ史上最悪」といわれる汚職事件を起こしています。二人の関係をもとにつくられたのが、映画「ブラック・スキャンダル」（二〇一五年製作）です。

そんな悪名高き捜査官コノリーのコネクションにいたテイラーのような人物が、アメリカやイギリスのメディアに語った逃亡作戦の内容がどこまで真実なのかはわかりません。日産自動車は一〇〇億円の損害賠償を求めて横浜地方裁判所に提訴しましたが、逃亡の具体的な過程など、本人の口から語られなければ真相は永遠に判明しない恐れがあります。

さらに無念なのは、ゴーンおよび彼の背後にいるインテリジェンス集団が、日本を貶《おとし》めるべく仕掛けた「情報戦」が成功していることです。たとえば、フランスのル・モンド紙は最初、「ゴーンは日本の司法に則って裁かれるべきだ」という論調だったのに、二〇二〇年一月のレバノンでの記者会見で、ゴーンが弁護士の同席なく聴取を受けたことや、再逮捕や起訴後勾留で身柄を長期間拘束されたことを訴えると、一転して日本の司法の前近代性を批判する論調に変わりました。

その後、フランスのマクロン大統領が安倍首相に対して、拘束や取り調べなど日本の勾留環境に不満を何度も伝えていたことが明らかになりました。これに対する安倍首相の公式アナウンスはありません。他国の国家元首が日本の司法制度にクレームをつけてきた以上、何らかの反論がないのはどう考えてもおかしい。

たしかにゴーンの会見後、森雅子法相は反論しましたが、それを欧米のメディアが伝えた形跡はありません。それどころか、「ゴーンの訴えは信用できる」(米「ウォール・ストリート・ジャーナル」)、「逮捕後の取り調べで弁護士同席は認められない。自白を尊重することが慣習として日本では非常に強く刻まれている」(仏「レクスプレス」)など、ゴーンが主張する「人質司法」という言葉が広がった結果、日本は「アジアの野蛮国」というイメージが海外に刷り込まれてしまった。

国外逃亡を手助けしたとして東京地検から指名手配されたテイラー容疑者は、息子とともに米連邦裁判所から引き渡しを認める判決を言い渡されましたが、移送直前に弁護側が法廷手段で対抗し、身柄引き渡しは不透明になっています。

さらに、国連人権理事会の「恣意《しい》的拘禁に関する作業部会」がゴーンの逮捕と勾留を「不当」で「時代錯誤的」と非難する意見書を発表しました。

しかし、国内の治安情勢はもちろん、歴史や文化が異なるのだから、海外と日本で司法制度が違うのは当然です。異国で刑事訴追されたことの驚きや失意は理解できなくもありませんが、ゴーンが繰り返した「日本異質論」は誤解や一方的な思い込みばかりです。この誤ったイメージが定着すれば、日本の信頼を大きく傷つけます。

ひいては海外の人たちが、日本で生活することを躊躇《ためら》うような事態さえ招きかねません。「アジアの野蛮国」というゴーン側が広めたレッテルは情報戦上、何としても剝《は》がさなければなりません。

佐藤　ゴーンに国際社会から共感が集まった理由

そもそも、なぜ国際社会からゴーン被告にこれほど共感の声が集まったのか。この点に関する分析が必要です。最大の理由は、ゴーンがキリスト教マロン派（マロン典礼カトリック教会）に属していたことです。マロン派の位置づけは、中東におけるヨーロッパ文明の代表というもの。したがってゴーンは、アジアの野蛮国・日本でキリスト教徒の自分が弾圧されたという表象を最大限に活用してアピールできたのです。

さらに、レバノンでは宗派ごとに大統領、首相、国家議長のポストを決めており、大統領はマロン派から選ばれることになっています。ゴーンと同じマロン派であるレバノンのアウン大統領が、昔から彼と深い関係にあったことは容易に推測できます。

ゴーンに対するレバノン政府の関与はほぼ疑いなく、容疑者の密入国幇助《ほうじょ》は明らかに日本の主権侵害です。にもかかわらず、なぜ日本政府は抗議をしないのか。最低でも事情聴取のために駐レバノン大使を呼び戻す程度はできるのに、それすら実行しないのは、要するに外交問題にしたくなかったからです。

遡ると二〇〇〇年、岡本公三を除くレバノンに潜伏中の日本赤軍メンバーがソ連のアエロフロート機で送還されたとき、日本はレバノン政府の協力を得ました。ゴーンの一件で関係を悪化させて、レバノンが再び過激派の巣窟になることを恐れたのでしょう。

中東においてレバノンは情報収集の拠点であり、レバノン政府との関係断絶を避けるため、ゴーン逃亡の真相を日本政府が不問に付した結果、迷宮入りする可能性が高いと私は見ています。少なくとも、日本側はゴーンたちがつくり出した「人質司法」「人権侵害」の土俵に決して乗ってはいけない。

たしかに、東京拘置所に勾留された経験からいえば、まず拘置所に入る検査で裸にされ、風呂はパンツ一枚で行かなければならない。房には冷暖房がなく、サンダルには水虫菌がついている。欧米人の人権感覚ではとうてい受け入れられないことばかりです。このような日本の司法の実態が世界に広がれば、まさに国益を損ねるでしょう。

かといって政府が過剰に反応すれば、余計に世界の注目を浴びかねない。人権の点に関しては、相手が何をいおうと無視することです。その裏で、日本はゴーンが日産時代にしたことをひたすら海外に流し続ける。やるべきことを目立たずにやり、不要なことにはいっさい口も手も出さない。これがインテリジェンスの鉄則です。

岡部　広報外交に国を挙げて取り組むべき

ゴーン逃亡のような国家主権に関わる問題では、安倍首相自らが先頭に立って、日本の考えと意図を広く国際社会に訴えて、理解と支持を取り付ける必要があったと思います。

国難となった新型コロナウイルスの感染拡大でも、二〇二〇年二月、英国船籍の大型クルーズ船「ダイヤモンド・プリンセス」で集団感染者が出た影響から、日本政府は国際社会から「危機管理が甘い」と受けとめられて、日本を入国・入域制限の対象とする国・地域が相次ぎました。しかし、もともと日本では手洗いやうがいなどが習慣化しており、公衆衛生の水準はどの国よりも高い。新型コロナ禍による死者は欧米に比べて圧倒的に少ないのが事実であるにもかかわらず、日本を非先進国のように扱う報道が当初、海外で相次いだのは残念でした。

現代はイメージや文化の成熟度などの「ソフトパワー」を競う時代です。日本の状況や考えについて、国際語の英語で徹底的に発信すべきです。海外での情報発信拠点として外務省がロンドンやサンパウロ、ロサンゼルスに開設した「ジャパン・ハウス」も活用し、国際社会に向けたパブリック・ディプロマシー（広報外交）に国を挙げて取り組んでほしいと思います。

「シックス・アイズ」構想の実現を急げ

岡部「すでに日本を招待している」

インテリジェンスの世界では、二〇二〇年七月二十一日、チャイナ・リサーチ・グループ（CRG、主宰：トゥゲンハート英下院外交委員長）のオンライン会談における当時の河野太郎防衛大臣の「ファイブ・アイズ」をめぐる発言が注目を集めました。

前述したように、ファイブ・アイズとは、アメリカ、イギリス、オーストラリア、ニュージーランド、カナダの五カ国がテロや軍事機密の情報を共有する枠組みのことで、通信の傍受・分析に関する施設を共同利用し、得た情報を自国の安全保障政策に活用しています。そこに日本を加えた「シックス・アイズ」構想に河野氏が前向きな姿勢を示したと伝えられました。

河野大臣の発言が世に出たのは、トゥゲンハート氏が自身のツイッターで河野氏の言葉を取り上げたことがきっかけです。トゥゲンハート氏自身も、「ファイブ・アイズは数十年にわたってイギリスの防衛情報政策の中心にあったものであり、信頼できるパートナーこそ加盟すべきだ。日本は重要な戦略的パートナーであり、より親密に協力するためにあらゆる機会をつかむべきだ」とツイートしています。

これを受け、イギリスの大手新聞「ガーディアン」は複数の下院議員の話として、「対中国の観点から日本がファイブ・アイズに参加し、機密情報共有のみならず、戦略的経済協力関係に拡大する可能性がある」と報道しました。

ファイブ・アイズの一国であるオーストラリアも「シックス・アイズ」構想に前向きな姿勢を示し、併せて太平洋に自由貿易圏をつくる提案を行なっている。医療品やレアアース（希土類《きどるい》）などの戦略物資をシックス・アイズ加盟国間で取り引きするというもので、情報共有の枠組みを超えた戦略的な経済連携をめざしています。

EU（欧州連合）を離脱したイギリスにとっても、日本との連携強化はメリットが大きい。背後には世界経済のエンジンであるアジア太平洋地域の成長に便乗したいとの思惑があります。現に、イギリスは日本とオーストラリアに仲介を依頼し、日本と新たな通商協定を結んだ後、二〇一八年十二月に発効したTPP11（環太平洋パートナーシップに関する包括的及び先進的な協定）に参加すると、二〇二一年二月一日、正式申請しました。

　もう一つ、ＣＲＧでの河野発言には重要な点があります。英「タイムズ」が報じた最新鋭空母「クイーン・エリザベス」をはじめとするイギリス空母打撃群の極東常駐に、歓迎の意向を示したことです。

「「クイーン・エリザベス」は尖閣諸島を含む東シナ海や南シナ海など太平洋で日米の合同演習に参加しますが、イギリスのメディアはこれを日本が軍事面でもイギリスと手を結び、アジア太平洋地域を中国の脅威から守る意志の表明として伝えた。あたかも明治三十五年（一九〇二年）に締結された「日英同盟」が、令和の時代になって復活したかのような印象があります。

　イギリスの対中国認識について、たとえば労働党のトニー・ブレア元首相は習近平国家主席の下、中国が「ここ数年間で一層権威主義化した」と強い危機感を示しています。さらに、「ファイブアイズと日本は中国問題において共通の利害で結ばれているため、（日本が参加する）十分な論拠があると思う」と、日本はファイブ・アイズと中国関連情報を共有すべきだという認識を示しています（二〇二〇年八月四日付「産経新聞」）。

　ブレア氏は一九九七年の香港返還時、イギリスの首相を務めていました。「一国二制度」を定めた英中共同宣言（一九八四年）を中国が破り、香港国家安全維持法によって香港の取り締まりを強めたことで「合意の基礎が弱体化している」と批判しています（同日付「産経新聞」）。

ブレア氏のこうした認識は、保守党のジョンソン政権の方針とも合致しています。ラーブ外務大臣は香港国家安全維持法の撤回を求めていますが、中国は「中英共同宣言の香港に関する政策は中国側が一方的に示したものだ。履行義務はなく、無効である」と反発しました。

英中共同宣言には、現行の民主的制度の維持と「香港の高度な自治」を返還から五十年、変更しない旨《むね》が記されている。国際法上、拘束力を有する「国際約束」であり、国連事務局にも登録された声明です。その合意を無効と言いつのるのは、国際社会と真っ向から対立する態度といえるでしょう。〝裏切られた〟イギリスは、中国を絶対に許さない構えです。

その後もイギリスは、アメリカ、オーストラリア、カナダと四カ国共同で対中非難声明を発表しました。さらに歴史上、深いつながりを考慮して、イギリス海外市民の有資格者である約三〇〇万人の香港市民に対し、イギリスの市民権・永住権の取得へ道を開く救済策を打ち出しました。

また、前述したようにイギリスは、対中国の有志連合の枠組みとしてファイブ・アイズを利用して、そこに日本を参加させようと考えています。私もロンドン在任中、ＭＩ６の関係者から、ファイブ・アイズに日本を参加させる方針について何度も聞いていました。中国が情報を開示せず、新型コロナウイルスによるパンデミック（世界的大流行）が起き、香港国家安全維持法施行の暴挙に出た直後、このＭＩ６関係者に電話で尋ねると、「われわれはすでに日本をファイブ・アイズに招待している」と答えてくれました。

その後、ジョンソン首相は議会で、「同じ志をもつ民主主義国家（日本）を招き入れるのは大きなチャンスで、検討している」と日本参加に前向きな姿勢を見せました。たんなる社交辞令ではない「本気」を感じました。実際に、日本は会議にオブザーバー参加をしています。ところが、「日本政府から提案はまだない」（ジョンソン首相）という。肝心の日本政府の立場がはっきりしないのです。それだけにＣＲＧでの河野発言にはインパクトがあり、大きな注目を浴びているのだと思います。

佐藤　同盟国のスパイを逮捕できるか

「ファイブ・アイズ」の呼称について、たとえばインテリジェンスに携わる人間が英語で極秘文書を共有する場合には、「for your eyes only」などと記します。eyes が複数形なのは目が二つあるからで、五カ国であればファイブ・アイズではなく、倍の「テン・アイズ」となるはずですが、不思議とそうなっていない。

それはともかく、日本政府がいままでファイブ・アイズ入りに慎重だった理由を推測すると、ファイブ・アイズの調査の手が日本の脅威となりうる国ではなく、日本自身に及ぶことを恐れたのではないか。ファイブ・アイズ諸国の情報員が日本の政治家や企業の秘密を探りはじめることへの警戒心です。

事実、アメリカでは元ＣＩＡ（中央情報局）局員のエドワード・スノーデンによって、アメリカが日本を含む同盟国の機密情報を収集していたことが暴露されました。また、ファイブ・アイズの一国が在日大使館で盗聴活動をしていたということを、この業務を担当した人が述べていました。

そもそも日本の政治家は諜報活動に対して鈍感です。保秘機能付きの携帯電話を渡しても、なかなか使いたがらない。現在でさえ情報を山ほど外国に抜かれているわけだから、ファイブ・アイズ参加でますますカウンター・インテリジェンス（防諜）が危うくなる、という不安が拭《ぬぐ》えません。

いちばんの問題は、ファイブ・アイズ諸国の情報機関のエージェントが日本国内で非合法な情報活動をしたとして、日本の警備・公安警察がこの人たちを捕まえられるかという点です。もちろんいまのファイブ・アイズ加盟国同士であれば、たとえ同盟国であっても他国のスパイが一線を越えてイリーガルな情報活動をしていれば、公表はしなくても、当該国に警告を与えます。状況によっては捕まえるでしょう。

しかし日本の場合、おそらく警告を発して自発的に出ていってもらうのがギリギリの線で、それすらできない可能性がある。第二次世界大戦に負けた日本にとって、戦勝国であるファイブ・アイズ諸国とのあいだで諍《いさか》いを起こすのは、国家意志に関わる重い政治判断です。いまの日本にはスパイ防止法がないけれども、仮にあったとしても同盟国のスパイを逮捕できるか否かは別次元の政治判断であるということです。

他方で政治判断として考えられるのは、ファイブ・アイズに加わることで日本の国内情報を盗られたとしても、中国の機密情報やテロ情報が得られるメリットを天秤にかけて後者を優先するという可能性です。

いずれにせよ、戦後の日本でファイブ・アイズ参加の動きが表面化しなかったのは、おそらく前述のような面倒事を政府が躊躇《ちゆうちよ》していたからでしょう。そのなかで、河野大臣が中国の脅威を前にしてあえて踏み込んだ発言をしたのだとしても、イギリスがファイブ・アイズに入れてくれるというのであれば、日本側が断る理由はどこにもない。すぐにでも入る準備をしたほうがよいでしょう。

岡部　対外情報機関の創設を急ぐとき

日本のファイブ・アイズ入りについて、インテリジェンスの第一人者である佐藤さんと認識が一致したのは喜ばしいかぎりです。ロンドン在任中、前述のＭＩ６関係者から新疆《しんきょう》ウイグル自治区に関する情報を求められ、日本大使館の然《しか》るべき人を紹介したことがあります。そのとき、イギリスもやはり日本の情報がほしいのだと肌で感じました。

情報の世界はギブ・アンド・テイクが基本です。もらうだけでは関係が成り立ちません。では、日本がギブに値する独自情報を集めるにはどうするか。イギリスの情報関係者が口を揃えて指摘するのは、英語力をネイティブにまで向上させて、既存の省庁の壁を超えるかたちで独立した対外情報機関を創設する必要性です。

佐藤さんが指摘したとおり、ファイブ・アイズは第二次世界大戦の戦勝国による枠組みです。公式には一九四六年、イギリスとアメリカがソ連との冷戦に備えて情報協定を結んだのが始まりとされます。

しかし大戦中、暗号解読の基地があったロンドン郊外のブレッチリー・パーク（政府暗号学校）の史料によれば、真珠湾攻撃の十カ月前、四一年二月にアメリカのインテリジェンス・オフィサー（情報士官）が同所を訪れ、英米は「特別な関係」として日本とドイツを相手に暗号解読の協力と情報共有をスタートさせています。それほどに情報収集と共有の重要度は高い。

さらにイギリスは、英連邦のドミニオン（自治領）であるカナダ、オーストラリア、ニュージーランド、南アフリカと機密情報を共有しており、ソ連が対日参戦する約一カ月前の四五年七月には「ヤルタ密約」の情報を自治領と共有していました。

「セキュリティ・クリアランス（適格性評価）」などの機密保全や情報収集の制度が整備されていない現状でのファイブ・アイズへの参加は、時期尚早との議論もあります。しかし、自由と民主主義を守るための五カ国の結束は固く、日本は人権問題などで中国とロシアに対する際の同志として、共闘する覚悟をもつ必要があると思います。

戦後、日本政府は海外の機密情報の収集を戦勝国に頼り切って独自の情報活動を怠った歴史を改めるという意味でも、シックス・アイズ構想を〝外圧〟にスパイ防止法を整備し、対外情報機関の設置に着手すべきだと考えます。

佐藤　既存の情報コミュニティの強化で対応できる

たしかに戦後の日本は、海外に情報員を配して情報を集める「ヒューミント」の機関をもちませんでした。ですが、日本がファイブ・アイズに加わるうえで対外情報を専門とする機関の新設が必須かといえば、そうは思いません。

私が在職していた外務省の国際情報局（現在の国際情報統括官組織）は海外情報の収集と分析が主要任務でした。省庁の縄張りを壊してまで新しい情報機関をつくろうとすると、必ず大きな抵抗に遭う。外務省との軋轢《あつれき》を考えれば、既存の情報コミュニティを強化する方向で対応するほうが、はるかに低コストで現実的です。

これは実際に安倍政権が進めてきた方向性で、国家安全保障会議の事務局として置かれた国家安全保障局（日本版ＮＳＳ）が内閣情報調査室や公安調査庁などの情報組織を統括するかたちで膨大な情報を収集、分析する「コレクティブ・インテリジェンス（協力諜報）」を行なってきました。

　そもそもファイブ・アイズ諸国もヒューミントに限っていえば、日本からの情報にはそれほど期待していないのが実情でしょう。たとえばウイグルに関する情報がほしいのであれば、日本と連携するより中央アジアのカザフスタン、あるいはトルコと連携したほうがはるかに効果的です。裏を返せば、イギリスが情報活動で日本に期待しているのは、欧米の情報員がとってくるような機密情報ではありません。

　では、日本に求められる役割とはいったい何なのか。インテリジェンスの用語でいえば、たとえばメディアから得られる公開情報を収集、分析する「オシント（オープンソース・インテリジェンスの略）」による情報の解読です。

　日本の新聞や週刊誌の記事には独特の文法があり、日本語ネイティブでかつ裏読みができる人でないと内容を即座に判断しづらい。筆者や話者が事実や本心ではなく、所属する組織の権益や利害、あるいは思想・信条に基づいて述べるポジション・トークも多い。

　イギリスがほしがっていると思われるのは、そうした発言の真意や裏を読み解ける情報のプロでしょう。オシントの面では、日本人の分析力が貢献する余地は少なからずあります。

　また日本の場合、元首相や大臣経験者など国の要職を務めた要人へのアクセスが諸外国に比べて比較的、容易です。彼らは最新の情報はもっていないにせよ、日本における権力者の文法は熟知している。したがって、情報機関の人間が入手してきた情報が解読できます。

もっとも実際には、当人が意識せずに外交機密に触れるような情報をギブしてしまうことが多い。ただし、この問題は特定秘密保護法の範囲内でカバーできるので、わざわざ新しくスパイ防止法を制定する必要はない。

他国の情報機関と定期的に情報交換を行なう「リエゾン（連絡要員）」も、少数の優秀な人間がいれば十分です。日本の既存の情報コミュニティにもリエゾンが務まる語学力とセンスをもった人はいます。その意味でも、日本のファイブ・アイズ参加にイギリスが賛同したのは、相応の利益や理由があってのことだと思います。

第3章　イギリスとEUの確執

新型コロナウイルスの感染拡大を防ぐため、ロックダウン（都市封鎖）を実施したイタリアのミラノ（2020年3月）。早々に医療崩壊を起こした同国に対し、EU諸国からの支援は鈍かった（写真提供：クレジット：AFP＝時事）

スコットランド、アイルランド独立問題

佐藤　新型コロナの危機としての性質

世界はいまも新型コロナウイルスの感染拡大に苦しんでいますが、この感染症によって人類が滅ぶことはないでしょう。第一次世界大戦中に大流行したスペイン風邪のような強毒性が、現在のところ見られない。日本でも市中感染が広がっていますが、死者の数は欧米とは比較になりません。

危機には、英語でいう「リスク（risk）」と「クライシス（crisis）」の二種類があります。

リスクは「予見可能な不都合な出来事」という意味で、データや分析によって対策を立てられるもの。クライシスは、古典ギリシャ語のクリシースに由来する言葉で、「分かれ道」「峠」を意味します。分岐点を間違えたら永久に目的地に辿《たど》り着けず、医者から「今夜が峠です」といわれたら死を覚悟しなければならない。したがって、リスクよりクライシスのほうが致命的です。

たとえば季節性のインフルエンザは、予防接種や手洗いの励行《れいこう》で感染率を抑えられるため「リスク」に分類されます。感染しても、抗ウイルス剤をすぐに服用すれば対処は可能です。では、新型コロナウイルスはどうか。たしかにインフルエンザに比べて新型コロナの致死率は高く、従来のマニュアルでは対応できない部分が多い。しかし罹患《りかん》が即、死に至る病というわけではなく、早期の封じ込めに成功した国もあります。

仮に予見不能で生死に直結するクライシスの場合であれば、リスク・マネジメントではなく「クライシス・マネジメント（危機管理）」が必要です。その際の基本原則は、「生き残るためなら何をしてもよい」ということ。

他方で、拙著『ウイルスと内向の時代』（徳間書店）や『人類の選択』（ＮＨＫ出版新書）にも書いたように、新型コロナは「リスク以上、クライシス未満」というべき範疇《はんちゅう》の危機です。日本政府の対応が歯がゆく映るのも、この境界線上の性質に由来すると私は見ています。経済を犠牲にして感染防止を徹底するのは難しい半面、終息に時間が掛かればダメージは深刻なものになる。

ＥＵの未来についても、じつは似たところがあります。ブレグジットに加え、新型コロナ禍の影響によってＥＵが弱体化するのは間違いない。かといってヨーロッパは決定的な崩壊には至らない、という中途半端な状況が続くのではないか。

ブレグジットの前から、EUの統合力はすでに弱まっていました。たとえばソ連の崩壊後、市場経済に転じたハンガリーの場合、二〇〇四年に念願のEU加盟を果たしました。ところが、現在のオルバン首相は権威主義的政治を志向して反難民・反移民を掲げ、民主主義や人権、法の支配を基本的価値とするEUと真っ向から対立しています。同じく二〇〇四年に加盟したポーランドも、カトリックの価値観の復活を訴える政権与党「法と正義」が難民排除を訴え、EUとの溝が深まっている。

ハンガリー、ポーランドはともにヨーロッパ統合の理念と相容れない国になってしまったはずなのに、EU側から両国を加盟国から外そうという動きは見られない。裏を返せば、それだけEU存立の理念が曖昧《あいまい》なものになっているといえます。

岡部「嫌々ながらの欧州人」

私も、現在のEUが抱える問題の根本は、東欧を中心に加盟国を急速に広げすぎたことにあると思います。東方拡大でウクライナ問題のようにロシアとの軋轢が増しただけでなく、経済優先でＥＵに参加したものの、ＥＵ統合の深化が固有の文化や伝統をもつ「国民国家」としての独自性を失わせるのではないかという危機感が強まりました（拙著『イギリスの失敗』ＰＨＰ新書を参照）。

その意味で、二〇二〇年十二月三十一日深夜にイギリスがＥＵから「完全離脱」したのは必然の出来事ともいえる。二〇一六年の国民投票から四年半。ブレグジットは、懲罰的姿勢に終始したＥＵの規則や欧州裁判所に従わず、関税ゼロ貿易を続けながら、独自の移民規制と「主権回復」を実現したイギリスの実質的な勝利といってよいでしょう。一方、さらに今回の新型コロナ禍によって、ＥＵの求心力がさらに弱まるのは確実です。

そもそも、イギリスはなぜＥＵ離脱を選択したのか。

ＥＵ誕生の経緯は、一九五二年にドイツ（当時は西ドイツ）、フランス、イギリスおよびベネルクス三国（ベルギー、オランダ、ルクセンブルク）で発足した欧州石炭鉄鋼共同体（ＥＣＳＣ）に遡ります。ＥＣＳＣは独仏の「欧州を二度と戦場にしない」という不戦の誓いから、国家主権の一部を譲る共同体づくりの結果、生まれたといわれます。加えて私は、背後にアメリカの「欧州連邦」という戦略的構想があった点を強調したいと思います。

欧州統合の先駆者として名前が挙がる人物に、オーストリア貴族のリヒャルト・クーデンホーフ＝カレルギーがいます。オーストリア＝ハンガリー帝国駐日大使の父と日本人の青山みつとのあいだに生まれ（日本名・青山栄次郎）、のちに欧州統合の理念を訴えて汎ヨーロッパ運動を展開した人物です。カレルギーはナチス・ドイツの弾圧を受けて四〇年にアメリカへ亡命し、第二次世界大戦後はアメリカ議会で「欧州連邦」を結成するためのロビー活動を行ないました。

カレルギーの活動に協力したのが、CIAの前身であるOSS（米戦略情報局）長官ウィリアム・ドノバンと、のちにCIA長官を務めるアレン・ダレスです。

ダレスは大戦末期、スイス・ベルンを拠点に終戦工作の一環として対独レジスタンス運動の活動家を支援していました。カレルギーもその一人で、ダレスとともに戦後も欧州安定化と「欧州合衆国」の構築に奔走しました。

表向きはヨーロッパ諸国の戦災復興と共産化防止を目的としたマーシャル・プラン（欧州復興計画）も、じつはアメリカによる「欧州合衆国」構想の一環でした。たしかに、当時のフランスやイタリアには共産政権が生まれる可能性がありましたが、アメリカの最大の狙いは、ドイツを「欧州合衆国」のなかに封じ込めて再び暴走させないことでした。

ところが、この「欧州合衆国」の足並みを乱す国があった。もっとも近しい同盟国のイギリスです。

チャーチルは、四六年三月にソ連の脅威を訴える「鉄のカーテン」演説を行なったあと、彼もまた欧州合衆国構想を唱えました。しかし、実際にアメリカが要請を呼び掛けると、チャーチルはイギリスの参加を頑として拒否します。ＥＣＳＣが発足した翌五三年、イギリス議会で「欧州連邦システムに合併されるつもりはない。われわれは欧州とともにあるが、それらの一部ではない」と演説したほどです。

チャーチルに象徴される独立のメンタリティ（精神性）がイギリスの保守政治家のあいだで連綿と受け継がれた結果、二十一世紀のブレグジットに至ったのは、歴史的な必然ともいえるでしょう。

「嫌々ながらの欧州人」。私はロンドン赴任中、イギリス人が自らをこう称するのをしばしば目《ま》の当たりにして、彼らの強烈な自国意識を感じました。

日本の地図ではイギリスは欧州の西側に位置しますが、イギリスの地図では、大西洋の真ん中に描かれています。すなわち「わが英国は欧州の大陸諸国と一線を画した『海洋国家』である」という自負が、イギリス人の歴史的アイデンティティなのです。

加えてイギリスには、両大戦をはじめ戦争に一度も敗れたことがないという「戦勝国」のプライドがあります。誇り高き大英帝国が、なぜ「敗戦国」のドイツが仕切るEUの風下に立たなくてはならないのか。イギリスの歴史や伝統を守り、国民性の優位を訴える思いが、離脱派のなかには根強くあります。ブレグジット支持者には高齢者が比較的多く、大英帝国を懐かしむ地方在住の白人層が中心です。

その一方で、残留派の中心はイギリスの多様性を歓迎し、「ヨーロッパ人」を自認する人びとです。生まれたときからイギリスがEUの一員だった世代や、首都ロンドンでグローバルな仕事に携わる高学歴の若者が多い。

厄介《やっかい》なのは、イギリス国内で両者の分断、対立が延々と続いており、まったく収まる気配がないことです。二〇一六年の国民投票では、離脱派が五二%、残留派が四八%とほぼ拮抗《きっこう》しており、この傾向は二〇一九年十二月の総選挙直後の世論調査でも変わりませんでした。離脱派が四八%、残留派が五二%とやはり拮抗しています。国民投票で残留に投じた人の九割弱が総選挙でも同じく残留支持で、離脱派についても同じ態度だったという調査もあります。

イギリスでは家族・夫婦間でも離脱と残留で意見が割れることは珍しくなく、社会の分断の深さを物語っています。ブレグジットを先導したジョンソン首相の家族でさえ、元欧州議会議員で作家の父親が「完全離脱」後にフランス国籍の申請を検討し、政治家の弟とジャーナリストの妹も残留派というありさまで、対立の収束には一世代かかるという指摘もあるほどです。

佐藤　イギリスで始まる世界史的実験

一九九一年十二月のソ連崩壊後、（バチカンを例外として）民族に基づかない唯一の国家となったイギリスがブレグジットを機にどういう運命を辿るのか、私も大いに関心があります。

イギリスの正式名称は、グレートブリテン及び北アイルランド連合王国（United Kingdom of Great Britain and Northern Ireland）。この国名には民族を示唆する言葉が一つもありません。実際、イギリスにはイングランド人やウェールズ人、スコットランド人やアイルランド人はいても、グレートブリテン人や北アイルランド人という民族はいない。

つまり、イギリスは国民（nation）と国家（state）が一体となった「国民国家（nation state）」ではないということです。王あるいは女王の名のもとに、民族を超える同君連合の原理で統合されてきた人びとなのです。

これはある意味で、ソ連と同じ姿です。ソビエト社会主義共和国連邦という国名のどこにも、民族を示す言葉はなかった。国民国家は、はたして近代における普遍的現象なのか。この問いに対する「最後の実験」が今後、イギリスで繰り広げられるわけです。なおかつ、この世界史的な実験は当事者がほとんど意識しないかたちで行なわれている。

イギリスにいると気づくのですが、街中やスタジアムの光景で目にするのはイングランド旗やスコットランド旗、ウェールズ旗やアイルランド旗のみです。ユニオンジャック（イギリスの国旗）はほとんど見かけなくなった。

とくにスコットランドでは、民族的なアイデンティティの高まりとともに独立の気運が高まっています。一七〇七年にイングランドに併合されるまでスコットランド王国だったという歴史の記憶は、たかだか三百年程度のイングランドによる統治では消せません。

二〇一九年十二月のスコットランドの総選挙では、独立の是非《ぜひ》を問う二度目の住民投票の実施を公約に掲げるスコットランド国民党（SNP）が議席数を伸ばしました。二〇一四年九月に行なわれた一度目の住民投票では賛成四五％、反対五五％で独立が却下されましたが、ブレグジットを機により独立に傾く可能性は高いでしょう。

もちろん、ジョンソン首相はスコットランドの住民投票の実施を何としても阻止するはず

英国の正式名称：「グレートブリテン及び北アイルランド連合王国」
(United Kingdom of Great Britain and Northern Ireland)

1536年、イングランド王国がウェールズ公国を併合。1707年、スコットランド王国とイングランド王国が合併し、「グレートブリテン連合王国」が成立。1801年、アイルランド王国が加わり、「グレートブリテン及びアイルランド連合王国」が成立。1922年、北アイルランドが残ったかたちで南アイルランド（現・アイルランド共和国）が分離し、現在の「グレートブリテン及び北アイルランド連合王国」となった。イングランド、ウェールズ、スコットランド、北アイルランドの4つの「国」からなる。

です。イングランドにとってのスコットランド独立は、原子力潜水艦の母港であるクライド海軍基地および北海油田を失うことを意味するからです。

同じ対立の構図は、北アイルランドについてもいえます。一九二二年、北部アイルランド（アルスター六州）を除くかたちでアイルランド自由国が独立して以降、イギリスへの帰属を望むユニオニストとアイルランドへの帰属を望むナショナリストとのあいだで、凄惨《せいさん》な武力紛争が続きました。二十一世紀のブレグジットに際しても、EUとイギリスのあいだで北アイルランドとアイルランド間に国境を引かないという玉虫色的な決着が図られました。いわば特別扱いされたわけで、それほど解決が困難な問題といえるでしょう。

もし仮に北アイルランドとアイルランドが統一するようなことが起こり、なおかつスコットランドが独立すれば、「グレートブリテン及び北アイルランド連合王国」という国家の形態は崩壊します。イングランドと他の三つの国（カントリー）との関係は、フェデレーション（連邦）あるいはコンフェデレーション（連合）に近いものになるかもしれない。そうなれば、イングランドに共和政を志向するような動きも出かねないと私は見ています。

ヘンリー王子とメーガン妃の王室離脱（二〇二〇年三月）は、その前兆ともいえる出来事でしょう。王族とは出自によるものであり、民主主義の例外にほかならない。その王族が国から逃げ出すという事態は血統原理の否定であり、これでは誰が王族になってもよいことになってしまう。イギリスという国はいまや立憲君主制の末期症状に陥っているともいえます。

岡部　ヘンリー王子夫妻の王室離脱騒動

　さすがに鋭いご指摘です。日本ではあまり理解されていませんが、ヘンリー王子とメーガン妃の王室離脱騒動はブレグジットと同等か、それ以上の混乱をイギリス国内にもたらしています。「国体」の危機に直結する問題といっても過言ではありません。

　二〇一八年五月、ウィンザー城の聖ジョージ礼拝堂で行なわれたヘンリー王子夫妻の結婚式は、イギリス王室の伝統やしきたりを無視した異様な内容でした。プロテスタントであるイギリス国教会の理念は「清貧」です。教会内では静粛《せいしゆく》を保ち、司祭は感情を込めずに話し、静かな讃美歌を歌うのが定番でした。

　しかし二人の挙式は、アフリカ系アメリカ人の司祭が聖書の代わりにタブレットを手にするというもので、しかも説教のなかにはアメリカのトランプ大統領を感情的に非難するくだりがありました。挙げ句の果てには、聖歌隊が踊りながらゴスペルやポップ・ソングの「スタンド・バイ・ミー」を歌うという始末。メーガン妃は聖ジョージ礼拝堂内がかび臭いので、空気清浄機を置くよう求めた、とも伝えられています。

イギリス王室の伝統からすれば、これほど破天荒な結婚式はありません。それでも白人の高齢者を含めて多くの国民が、「多様性の時代にふさわしい」とおおむね評価しました。挙式後、ウィンザー城の周辺を取材して回りましたが、人種に関係なくヘンリー王子とメーガン妃の結婚を温かく祝福する声がほとんどでした。非業《ひごう》の死を遂げたダイアナ妃の「失敗」を繰り返したくない、と考えるエリザベス女王の庇護も背後にあったと聞きます。

ところが、二〇一九年五月にメーガン妃が第一子アーチーを出産後、夫妻に対するイギリス国民の評価は一変します。メーガン妃の浪費ぶりが度を超えていたからです。

たとえば、ベビーシャワー（出産前に妊婦を祝う会）に女子プロテニス選手のセリーナ・ウィリアムズや俳優ジョージ・クルーニーの妻で弁護士のアマル・クルーニーなど著名人を招き、ニューヨークの五つ星ホテルのペントハウスで三三万ポンド（約四七〇〇万円）を費やすパーティーを開きました。

さらに、ジバンシィの詰まった洋服ダンスを七八万七〇〇〇ポンド（約一億一一〇〇万円）で購入するなど、贅沢なセレブ生活が次々と明るみに出て、非難の声が鳴りやまなくなりました。

イギリス国民が怒りを強めたのは、とどまるところを知らないプロトコール（儀礼）破りが限度を超えたこともあるでしょう。アーチー王子の誕生を夫妻がメディアへの一斉メールで発表したのは、出産から八時間後でした。

王位継承権をもつ子供の誕生は国家的慶事であり、ことさら透明性と情報開示が求められます。英メディアは、誕生と同時に出産現場で発表する慣例を破ったメーガン妃に愛想を尽かしたかのように、それまで触れることがなかったメーガン妃のアフリカ系という出自まで持ち出して、王室批判を繰り返しました。

ついには保守系の新聞までが「王室不要論」の記事を掲載するに及び、エリザベス女王が即座に反応しました。夫妻の公務引退と公費辞退に加え、王族の敬称である「ロイヤル・ハイネス」（殿下、妃殿下）の返上を求めたのです。

その後、夫妻が生活の拠点を置くことになったカナダにも騒動が飛び火しました。カナダ政府は夫妻の警備の義務を負うとされ、その費用が年五〇万ポンド（約七一〇〇万円）程度に上る可能性があったためです。

トルドー首相宛てに「民間人の警護は私費で」との署名が一〇万人を超え、カナダ国民の約八割が支出に反対したため、カナダ政府は夫妻が公務を離れる四月以降、警備費を負担しないと発表しました。カナダは女王を元首とするイギリス連邦王国の主要国の一つですが、夫妻の移住によって英王室の威信が低下する事態となったのです。

さらに夫妻は、新型コロナ禍で外出自粛中の二〇二〇年三月、プライベートジェットで極秘に出国し、アメリカ・ロサンゼルスに行きました。トランプ大統領が「アメリカは夫妻の警備費を払わない」とツイートすると、アメリカ国民は喝采し、五〇万人以上が「いいね」と応じました。

ほかにも近年、英王室は数々のスキャンダルに見舞われています。たとえば二〇一九年八月、拘留中に自殺したアメリカの大富豪ジェフリー・エプスタイン被告の性犯罪に、アンドルー王子（女王の次男）が関与している疑惑が発覚しました。ニューヨークの連邦地検は二〇二〇年一月下旬、アンドルー王子の事情聴取を求めましたが協力が得られず、性的被害を受けたとされる女性が名指しで王子を非難し、スキャンダルの報道に拍車をかけました。

一方、二〇二〇年四月に九十四歳の誕生日を迎えたエリザベス女王は、一九五二年に二十五歳で即位して以来七十年近く、五四カ国が加盟するイギリス連邦を束ね、一六カ国の主権国家（イギリス連邦王国）の君主として君臨してきました。イギリス史上最高齢かつ最長在位の君主であり、国内外に絶大な人気を誇るエリザベス女王は、いままで幾度もイギリス王室の危機を救ってきました。

しかし、さすがに「高齢でもはや限界に近い」（英王室関係者）との声が強い。女王の存在が絶大であるがゆえに、チャールズ皇太子が同じように国民から尊敬を集め、慕われる存在であり続けられるか、懸念もあります。

「王は君臨すれども統治せず」。王室は国民から敬愛を受けてこそ、社会の安定化機能を果たします。ブレグジットで分断したイギリス国民を再び統合するためにも、王室の存在は重要です。ところが、この大事な時期に「メーガン妃というハリウッド資本主義が、イギリスでも封建制度の最後の砦《とりで》となってきた王室をぶち壊した」（英エコノミスト誌）ことで、逆に王室の権威が揺らぐ事態に陥っています。

佐藤　ＥＵとは「拡大ドイツ」にほかならない

王室の権威を維持するうえで、「絶対にやってはいけない」ことがあります。一つは首相公選制であり、もう一つは国民投票です。

イギリスはブレグジットをめぐる二〇一六年の国民投票で、越えてはいけない一線を越えてしまった。国民投票の実施でポピュリズムの力が強まり、その副産物として「王室を否定してもよい」という野放図な風潮が生まれたといえるでしょう。

日本で議論されている国民投票法の改正も、同じ観点から捉えなくてはなりません。国民投票を実施すれば皇室の権威は落ちると私は見ています。

ブレグジットに関しては本来、イギリスは成文憲法のない国なので、国民投票で離脱派が過半を占めたとしても、大法院が無効を宣言すれば決定を覆せたはずです。「イギリスの国家意志は国民投票ではなく、内閣が議会の審議を経て決めるべきである」と大法院が仮に宣言していたら、ブレグジットは却下されていたでしょう。

先ほど岡部さんが示されたように、ＥＵとは結局のところ「拡大ドイツ」にほかならない。ユーロはすなわち「拡大マルク」です。つまりブレグジットとは、裏を返せばドイツ問題だといえるでしょう。

この点、イギリスの歴史家エリック・ホブズボームの歴史観（『20世紀の歴史』大井由紀訳、ちくま学芸文庫、上下巻）は興味深いものがあります。ホブズボームいわく、意味としての十九世紀は百年より長く、一七八九年のフランス革命に始まり、一九一四年の第一次世界大戦勃発直前で終わる。それに対して意味としての二十世紀は百年よりも短く、一九一四年の第一次世界大戦で始まり、一九九一年十二月のソ連崩壊で終わる。

では、二十世紀の根源的問題がソ連（ロシア）の共産主義体制だったかというと、そうではない。二十世紀の混乱の原因は、後発の帝国主義国であるドイツの拡張に翻弄《ほんろう》されたことにある。その最終結果がソ連の崩壊であった。ドイツの封じ込めに失敗したことで、二十一世紀はドイツの時代になるというのがホブズボームの仮説です。

彼の見方はとても面白い。カイザー（皇帝）のドイツは軍事力で欧州の覇権を握ろうとし、ナチス・ドイツは人種主義による覇権を目論んだ。いずれも失敗したけれども、第二次世界大戦後のドイツはついに経済力で欧州を席巻した、というわけです。この拡大ドイツの動きに対してイギリスが抵抗しようとした結果、ブレグジットが起きたと考えられる。

さらに歴史的な見方に加え、人類学的な見方も紹介しておきましょう。エマニュエル・トッド氏は『移民の運命』（東松秀雄・石崎晴己訳、藤原書店）で、家族制度がその国の特徴をつくると述べています。

たとえばドイツや日本は長子相続の国であり、兄弟関係は不平等である。対してフランスのパリ盆地では、遺産相続は兄弟間で平等であり、だからこそ平等を原理とするフランス革命が起きた。革命後、世界に広まった平等の原理は移民にも適用され、完全な同化を求められる代わりに、第二世代になれば差別がなくなる。その最たる例がハンガリー系移民のサルコジが大統領になったことである、と。

では、イギリスはどうか。トッド氏によれば、イギリスは遺言によって相続率を変えられるので不平等な国であるが、長子相続に固定しないという点で独自の類型をつくっている。また、イギリスの移民政策はフランスと異なり、移住者の国の文化を尊重するような姿勢を示しつつ、何世代たっても差別が続く。つまりイギリスの寛容性は、移民を対等のメンバーに加えない範囲内での容認という留保がつくわけです。

イギリスの人類学者アーネスト・ゲルナーはその著書『民族とナショナリズム』（加藤節監訳、岩波書店）のなかで、「イギリス人はぼんやりした状態でその帝国を獲得した」という表現でイギリスという国の特殊性を指摘している。

ゲルナーによれば、大英帝国は自分たちの価値基準を押し付けるようなことはしない。たとえば委任統治下のイラクにおいても、イギリスの法制度を導入するようなことはなかった。それはイギリスの寛容性とともに、他国との対等な関係を認めない国民性を物語っている。

ドイツに話を戻せば、先ほど挙げたトッド氏は、現在のドイツはとくに経済の分野においてＥＵを単一の色に染め上げてしまっているが、それはドイツの伝統的な直系家族型の父権制から来ていると分析しています。

こうしたドイツ特有の価値観を、イギリス人は決して受け入れることができないでしょう。おそらくジョンソン首相には、最初から「イギリスがＥＵに加盟するのは無理だ」という肌感覚があったと思う。「国民は必ず自分の判断についてくる」という確信があったからこそ、あれほど強気にブレグジットを進めたのではないでしょうか。

EUの「負け組」に食い込む中国

岡部　強まる「自国ファースト」の姿勢

EU離脱派のイギリス人に共通する思いは、EU本部があるベルギー・ブリュッセルの官僚機構に対する怒りであり、ブレグジットとはEUを支配するドイツからの「主権回復」をめざすものといえます。先ほど佐藤さんが例に挙げたエマニュエル・トッド氏は、著書『問題は英国ではない、EUなのだ』（堀茂樹訳、文春新書）で「イギリスは『ドイツに支配されているヨーロッパ』に対して立ち上がった」と分析しています。

前述のように、欧州統合の発端はソ連を牽制し、ドイツを封じ込めるアメリカの冷戦戦略でした。一九八九年にベルリンの壁が壊され、九一年にソ連が崩壊した時点で、その役割は終わっていたはずです。にもかかわらず、EUが経済的実利を求めて共通市場や通貨ユーロを導入した結果、もともと経済力の強いドイツのひとり勝ちを許すことになった。

イギリスはユーロが「拡大マルク」になることがわかっていたからこそ、共通通貨をあえて導入せず、国境移動を自由化するシェンゲン協定にも加わらなかった。「嫌々ながらの欧州人」として、ＥＵに「半身」で参加する姿勢を貫いた。

その半面、年間に一一〇億ポンド（約一兆五六〇〇億円）のＥＵへの拠出金が、農業国フランスやインフラが未整備の南欧や東欧諸国のために使われてしまい、見返りが少ないという利害の側面も、ブレグジットに向けて彼らの背中を押したのでしょう。

イギリスで生活していると、グラスワイン一杯の量まで規制するような硬直したＥＵ法には従いたくないというイギリス人の声が強い。さすがに、「曲がったバナナやキュウリを売ってはいけない」という珍奇な規制は撤廃されましたが、そもそも欧州諸国と英米は法体系が異なる国です。

大陸では事前に広範囲に規制をかけるのが原則であり、英米では原則を共有したうえで、規制を限りなく少なくする。両者は水と油で、いずれイギリスはＥＵから抜け出す運命にあると以前から見ていました。ＥＵと一線を画すイギリスが、ドイツやフランスよりも新型コロナウイルスによる死者数が多いのはたいへん皮肉な事態です。

その一方で、早々に医療崩壊が起きたイタリアの支援要請に対し、ＥＵ加盟国から援助に応じる声は聞かれなかった。自国民の感染防止と治療を優先するという「自国ファースト」

の姿勢が、新型コロナ禍によって浮き彫りになりました。

こうした自国ファーストの動きは、すでに新型コロナ以前から顕在化していました。トッド氏は、次のように述べています。「世界経済はまひした。このことは新自由主義的なグローバル化への反発も高めるでしょう。ただこうした反発でさえも、私たちは『すでに知っていた』のです。（略）新型コロナウイルスのパンデミックは歴史の流れを変えるのではない。すでに起きていたことを加速させ、その亀裂を露見させると考えるべきです」（二〇二〇年五月二十三日付「朝日新聞」）。

二〇二〇年四月、フランスのマクロン大統領は、新型コロナウイルス感染拡大で疲弊したイタリアやスペイン経済を支援する復興資金を調達するため、EU加盟国による「共通債」を提案しました。ところが、財政規律を重視するオランダやオーストリア、デンマーク、スウェーデンから起債に反対されてしまった。

万が一、共通債の構想が頓挫するようなことがあれば、その時点でEUは「終わり」でしたが、最終的には返済不要な補助金を減額させて歩み寄り、何とか結束を取り繕《つくろ》って起債までこぎ着けることになりました。

自国ファーストの仕打ちをまざまざと見せつけられたイタリア、スペインは大いなる幻滅を味わったはずです。「法の支配」をめぐってハンガリーやポーランドなどとの東西対立も表面化し、共通債は紛糾しました。ＥＵが信頼を取り戻すのは容易ではないでしょう。

佐藤　中国外交の標的にされたイタリア

ＥＵ共通債で恩恵を受けるイタリアやスペインがＥＵの「負け組」だとすれば、反対に回ったオーストリアやオランダ、デンマーク、スウェーデン、途中から賛成に転じたドイツは「勝ち組」です。

イタリアからの医療支援の要請を勝ち組のＥＵ諸国が拒んだ事実はあまりにも重い。当時、各国の医療施設には受け入れ床数に余裕があったといいます。にもかかわらず、どの国も国境を閉ざすだけで、ヨーロッパの地域的連帯は希薄だった。ＥＵの理念が死んだ瞬間といっても過言ではないでしょう。

苦しむイタリアに手を差し伸べたのは、ＥＵではなく中国です。医療チームや物資を送る中国の「マスク外交」の恩恵をもっとも受けたのがイタリアでした。しかし、外交の世界に見返りのない支援はない。マスク数百万枚でイタリア国民の中国への好感度を増せるなら、安いものです。人道支援を名目とした外交戦略の一環と見て間違いない。

EUの負け組であるイタリアは、新型コロナ以前からすでに中国外交の標的でした。シルクロード経済圏構想（一帯一路）にG7（主要七カ国）で最初に加わった国がイタリアです。その親中ぶりは、EU諸国のなかでも異質なものがあります。

たしかに歴史的に見れば、古代のシルクロードはヴェネツィアの商人マルコ・ポーロが旅した『東方見聞録』のルートに当たります。半島国家イタリアに早くから中国との海上交流があったのは事実で、中国は歴史も利用してイタリアへの食い込みに成功したといえます。

岡部　「戦狼外交」に対峙するスウェーデン

EUの緊縮政策・財政規律に苦しんでいた他の加盟国も、中国マネーを経済再生に利用した面があります。その一方で、新型コロナ禍前から中国の覇権の危険性に気づき、警戒を強めていた国もあります。とくに私が注目しているのが、スウェーデンです。

イギリス赴任中、同国の首都ストックホルムで行なわれるノーベル賞の授賞式を何度も取材しましたが、そこでスウェーデンの政府要人やメディアの激烈な「対中批判」をしばしば耳にしました。さらに調べてみると、背景に次のような事情がありました。

二〇一九年十一月、中国共産党を批判する書籍を扱って当局に拘束された香港の書店経営者・作家の桂民海氏（スウェーデン国籍の保持者）に対し、スウェーデンの文化団体が「言論の自由賞」を授与しました。授賞に対し、在スウェーデン中国大使館の報道官は、「犯罪者に賞を授与するのは政治的な茶番で、中国の司法に対する介入だ」と批判する声明を発表しました。

さらに中国の桂従友・駐スウェーデン大使は、スウェーデンの記者が中国の取材ビザ（査証）を取得する条件として、「中国に関する誤った報道方法を変えなければならない」と取材制限を示唆。加えて両国の関係をボクシングの試合にたとえ、次のように挑発したのです。

「四八kgのフライ級選手であるスウェーデンが、八六kgのヘビー級選手の中国に挑もうとしている。忠告を聞き入れないフライ級の選手は倒す以外に選択肢はないだろう」

桂大使の発言は真正面から国家としてのスウェーデンを侮辱《ぶじょく》、威嚇《いかく》するものでした。スウェーデン政府は当然、外務省に桂大使を呼び出して厳重抗議を行なっています。このような経緯により、七割のスウェーデン国民が中国に対して否定的な感情を抱くようになりました（二〇一九年十二月に発表されたピューリサーチセンターの対中感情調査より）。

近年の中国は大国意識を剝き出しに、かつての表向きソフトな「微笑外交」を転換させており、挑発・戦闘的な「戦狼外交」を展開するようになっています。前述の桂大使の発言も、北京の意向を受けてのものだと思われます。

スウェーデンは、EUのなかでももっともリベラルかつ人権意識の高い国です。中国との文化交流を見直す動きも顕著になっており、武漢市（湖北省）など地方都市との姉妹都市の提携も白紙に戻し、中国が自国の文化と言語を広めるために展開していた孔子学院も続々と閉鎖しました。

にもかかわらず、中国当局は二〇二〇年二月、前述の桂民海氏に「機密情報を海外に違法に提供した」罪で禁固十年の懲役刑を言い渡したと発表しました。スウェーデンの対中不信はこれで決定的なものになったと思います。

佐藤　大戦中の中立国が監視国家になった理由

スウェーデンで中国に対する反発の動きが起こるのは、ある意味で当然でしょう。スウェーデンは伝統的に、国家主権の侵害に対して厳しい国だからです。

私が外務省に在籍していたとき、モサド（イスラエル諜報特務庁）の幹部と北朝鮮のミサイル問題について話し合ったことがあります。一九九〇年代当時、そのモサド幹部は北朝鮮にカネを払い、ミサイル開発をやめさせる交渉をしていました。結局、話はまとまらなかったのですが、北朝鮮が秘密交渉の場所として指定してきたのが、東欧の社会主義国ではなく、何とスウェーデンのストックホルムだった。

スウェーデンは、北朝鮮人がビザなしで入出国できる数少ない国の一つです。理由は、極端な監視国家だから。北朝鮮からの訪問者にはつねに監視されているので、ビザによる入国制限が不要なのです。

これは、スウェーデンが第二次世界大戦で中立国だった事情と関連します。外国人を徹底して監視したのは、スウェーデン国内で外国人が特定の国に敵対的行動をとった際、中立違反になって相手国から攻撃される可能性があったからです。この伝統がいまも生きています。

いまでもスウェーデンには「隣組」制度のようなものがあって、外国人が何か不審なことをしていると警察に通報されます。同じく中立国のスイスも市民による監視の伝統があり、スイスのイラン大使館を盗聴していたモサドの工作員が摘発されたことがある。監視国家であるスウェーデンやスイスは、国内での他国の勝手な振る舞いを許さない。中国はその点を読み違えたのかもしれません。

とはいえ、スウェーデンの対中姿勢がEU全体に広がるかというと、疑問です。イタリアのように、中国はEUの輪のなかで経済的に弱い部分を狙って付け入ろうとする。若干、場当たり的でばら撒《ま》きの印象もあるけれども、それだけにEU全体での中国の浸透への対処は難しく、厄介ともいえます。

岡部　ファーウェイ完全排除を決めたイギリス

現在、EUへの加盟をめざすセルビアやモンテネグロは、経済成長を目当てに中国の「一帯一路」に参加しました。ところが気がつくと、対中債務が国家主権を危うくするレベルにまで膨《ふく》らんでいた。両国は中国の「マスク外交」でも標的になり、医療面でも対中依存が進んでいます。EUはヨーロッパの入り口であるバルカン半島諸国への露骨な進出に対して警戒感を強めていますが、加盟各国は新型コロナ対策で手一杯で、中国の干渉を防ぐ余裕はないのが実情です。

そうしたなか、新型コロナ禍に加え、香港国家安全維持法の制定を機に、対中姿勢を「友好」

から「敵対」へと鮮明にしたのが、ＥＵからいち早く抜けたイギリスでした。対中警戒論の中心は与党・保守党内のブレグジットの最強硬派です。原子力発電所などエネルギー産業に対する中国からの投資の撤回、中国依存が進んだサプライチェーンの全面再構築など、あらゆる面での関係見直しをジョンソン首相に訴えました。

ジョンソン首相の参謀で「イギリスのラスプーチン」の異名をとった上級顧問のドミニク・カミングス氏（官邸内の内紛で二〇二〇年末に辞任）も、中国との決別を迫ったとされます。

ジョンソン首相も新型コロナの被害拡大と香港の蹂躙《じゅうりん》で、「潜在的敵対国の企業に重要インフラを支配されたくない」と述べ、二〇二〇年七月、イギリス政府は５Ｇ（第５世代移動通信システム）の通信ネットワークからファーウェイ（華為技術）を安全保障上の理由で二〇二七年までに完全排除する方針を発表した。

中国は過去二十年、イギリスをヨーロッパのファーウェイ参入の拠点として重要視してきただけに、イギリスの白紙撤回は「世界のファーウェイ排除の分水嶺」になるでしょう（米国防総省ダニエル・Ｋ・イノウエ・アジア太平洋安全保障研究センター、ジョン・ヘミングス准教授）。

実際にイギリスの排除表明後、フランスも二〇二八年までに事実上、排除する意向を表明。また、ドイツやイタリアでも与党内で排除するべきとの声が強まり、ドイツの大手通信事業者テレフォニカ・ジャーマニーは、ファーウェイの代わりにエリクソンの機器を採用することを明らかにしています。カナダの大手通信会社二社も5G基地局にファーウェイ製品を採用しない方針を表明しました。

イギリスはアメリカと密接に協力しながら、G7にインドや韓国、オーストラリアを加えたD10（民主主義国一〇カ国）でファーウェイに代わる安価で高性能の機種を研究しはじめました。さらに、イギリス政府は日本のNECを基地局の新調達先とするべく、富士通も参加して実証実験するなど協業しています。

これに対し、中国の劉暁明駐英大使は「（ファーウェイの導入を）撤回すれば、報いを受ける。原発建設、高速鉄道での投資も中止となる」と発言しました。しかし英官邸筋は、「原発や高速鉄道への投資中止は想定内」と語っており、中国の脅《おど》しに屈しない構えを見せています。

新型コロナ危機にあって中国の情報活動が活発化するなかで、二〇二〇五月、地中海の島国マルタの大使館が入居するブリュッセルのビルに中国の情報機関がスパイ装置を仕掛け、ビル向かいのEU欧州委員会の情報収集をしていることが判明しました（二〇二〇年五月十五日付「ル・モンド」）。この中国のスパイ行為を見つけてベルギー当局に伝えたのは、イギリスの情報機関でした。

ＥＵから抜けても、インテリジェンスなどの協力を「嫌々ながらの欧州人」として続けていくのが、イギリスの「本懐」ではないでしょうか。

第４章　アメリカの混乱と日本外交

2021年1月6日、ワシントンの米連邦議会議事堂前で、破壊した報道機材を囲むトランプ氏の支持者たち（写真提供：AFP＝時事）

アイデンティティ政治の行き着く先

岡部　新型コロナ禍で自滅したトランプ氏

二〇二〇年十一月三日投開票のアメリカ大統領選挙は、民主党のバイデン氏が三〇六人の選挙人を獲得したのに対し、トランプ氏は二三二人で終わりました。暴徒による連邦議会議事堂の乱入を扇動したとして、二〇二一年一月十一日、下院民主党はトランプ大統領に対する二度目の弾劾《だんがい》決議案を提出しました（上院で否決）。

バイデン氏の勝利は、トランプ氏の自滅によるものと考えられます。第二次世界大戦後、現職の大統領が敗北した例は過去三度しかなく、順当に行けば、アメリカ経済を好転させたトランプ氏が勝っていたでしょう。その流れを変えたのは、やはり新型コロナウイルスです。

トランプ氏が感染リスクを過小評価した結果、世界最多の二六〇〇万人以上が国内で感染し、四三万人以上が死亡する事態に至りました（二〇二一年一月末時点）。これは第二次世界大戦時の米軍戦死者数（四〇万五三三九人）を上回る数で、アメリカ国民に恐怖を与えました。

この大統領選挙は、バイデン氏、トランプ氏のどちらが新型コロナの対策者として適任かを問うものだったともいえます。

ロイター通信の全米調査では、有権者の五〇％はバイデン氏がパンデミックを乗り切れると回答しました。他方、トランプ氏に軍配を上げたのは三七％にすぎません。

経済面での影響も大きい。四年前の大統領選でトランプ氏を勝利に導いたペンシルベニアやミシガン、ウィスコンシンなどの「ラストベルト（さびついた工業地帯）」各州で、トランプ氏の新型コロナ対策への不支持率は五八％に上りました。

トランプ政権の保護主義的な通商政策や移民への強硬姿勢を支持してきた白人労働者も、新型コロナ禍で工場が閉鎖されたうえ、政府の支援も乏しく、経済苦から支持政党を変えた人が少なくありません。

CNNのウィスコンシン州の出口調査を見ると、二〇一六年の大統領選で大学の学位をもたない白人男性の投票先はトランプ氏が六九％、ヒラリー氏が二六％でした。ところが、今回はトランプ氏が六二％、バイデン氏が三五％。トランプ氏の得票数が減った分がバイデン氏に流れ、僅差《きんさ》での勝利をもたらす結果となりました。

ほかにも新型コロナが大統領選に影響を与えた要因として、トランプ氏自身が感染しながら遊説でマスクをつけず、全米を移動したことが挙げられます。とくに新型コロナによる死亡リスクが高い高齢者にとって、トランプ氏の行動がマイナスの心理的効果を与えたことは想像に難くありません。

最大の誤算は、感染拡大を避けるため、各州が郵便投票を導入したこと。終盤の開票結果を見ても、民主党が郵便投票を利用して広範囲な支持層を掘り起こしたことは明らかです。対する共和党は郵便投票自体に後ろ向きだったことが、選挙の明暗を分けたといえます。

とはいえ、二〇二〇年の大統領選挙が史上稀《まれ》に見る接戦だったのも事実です。バイデン氏の地滑り的大勝を喧伝《けんでん》したリベラルメディアは、前回の大統領選でヒラリー・クリントンの勝利を「ほぼ確実」と報じたことに続き、信用を落としました。

民主党支持で固まったアメリカの主要メディアは、公平・中立である報道の原則から大きく逸脱しているといわざるをえません。共和党支持者の八割近くがメディアを信頼しておらず、民主党支持者の八割近くがメディアを信頼しているという調査結果もあります。

また、トランプ氏がメディアの報道や世論調査をフェイクと述べてきたことから、トランプ支持者は世論調査に懐疑的・非協力的です。いわゆる「隠れトランプ支持」現象を生んだ一因でしょう。

さらに、予想以上に多くの黒人（アフリカ系アメリカ人）やヒスパニック、アジア系の有権者がトランプ氏を支持したといいます。従来、民主党支持者だった人たちが投票行動を変えた事実は、ほとんど報じられていません。片方の主張を露骨に支援するアメリカのメディアの報道は著《いちじる》しくバランスを欠いており、日本の新聞・テレビも他山の石とすべきではないでしょうか。

佐藤　「見切り」が早かった菅首相

メディアや識者のなかには、大統領選挙の不正を訴えるトランプ氏が二〇二一年一月の任期終了後もホワイトハウスに居座るのではないかという人もいましたが、私はその可能性はないと見ていました。

本当にトランプ氏がホワイトハウスに籠城《ろうじょう》する事態になれば、支持者に加えて反対派が現地に殺到し、乱闘や暴動が起きる可能性があります。そこでトランプ氏が反対派の排除を命じても、シークレットサービス（大統領警護隊）や大統領が直轄するコロンビア特別区の州兵が彼の命令に従うことはあり得ない。もし彼らがトランプ氏の側に付けば、のちに国家反逆罪で訴追されかねないからです。軍人であれば、軍法会議にかけられる恐れがある。企業の雇われ経営者と同じで、退任してしまえば誰も義理立てなどしない。権力者は権力を失ったらただの人になる。これは人間社会の掟《おきて》です。

意外なことに、トランプ氏に「見切り」をつけるのがすこぶる早かったのが日本の菅首相です。二〇二〇年十一月十二日午前、勝利宣言をしたバイデン氏と早々に電話会談を行なっています。当時はポンペオ国務長官が「第二期トランプ政権」を公言しており、米国務省のルートは使えません。おそらく日本の外務省は、民主党のオバマ政権時代のルートを辿って接触を図ったのではないか。

菅・バイデンの電話会談では、「バイデン氏は尖閣諸島（沖縄県石垣市）について、米国の日本防衛義務を定めた日米安全保障条約第5条の適用範囲であるとの見解」を示し、「『できる限り早い時期』に対面式での会談を行うことでも一致した」（二〇二〇年十一月十二日付「産経新聞」）。

勝利宣言を出したばかりのバイデン氏から、外交的にとれる成果はすべてとってしまったわけです。日本外交の勝利といってよい。トランプ氏と親交が深かった安倍氏であれば、バイデン氏に電話をかけるのはもう少し躊躇したはずです。

菅・バイデン電話会談と前後してさらに興味深い動きは、二〇二〇年十一月八日に来日した韓国の国家情報院・朴智元《パクチウオン》院長が自民党の二階俊博幹事長や北村滋《しげる》国家安全保障局長、そして菅首相と会い、元徴用工問題について話し合ったことです。この会談は、日韓双方がバイデン民主党政権の性格を読み切った動きであると私は見ています。

民主党の政治というのは、黒人やヒスパニックなど多様な民族や、女性や性的少数者などマイノリティの権利とアイデンティティを訴える「アイデンティティ政治」です。ところが、無数ともいえるエスニシティやジェンダーによって細分化した利害関係を調整するのは、ほぼ不可能です。トランプ氏という共通の敵を失ったことで、これまでは封印されていた軋轢が民主党政権になって噴出することになります。

そして外交に関していえば、アメリカの中国、北朝鮮との関係はさらに緊張した局面を迎えるでしょう。民主党は自由や民主主義、人権など価値観を軸に外交を展開するから、ある意味でトランプ外交よりも原理主義的です。トランプ政権の外交は、価値観よりも自らの権力を強化するための取引（ディール）外交でした。

トランプ外交の典型は、彼が金正恩《キムジョンウン》朝鮮労働党委員長と行なった三度の首脳会談です。たしかに会談によって朝鮮半島の武力衝突を回避することはできたけれども、金正恩氏と取引した結果、北朝鮮の核保有をアメリカが事実上、容認することになってしまった。新型弾道ミサイルの開発も阻止できなかった。

バイデン政権は北朝鮮に対し、少なくともトランプ政権より強硬な態度をとると思われます。すると北朝鮮の側も反米姿勢を強めるので、半島情勢のリスクが高まります。そう考えると、先ほどの朴智元・国家情報院長の来日に合点が行く。日韓両国とも、バイデン政権の「価値観外交」に巻き込まれることは避けたい。元徴用工問題など国民感情に関わるナーバスな話で双方がどこまで主張をぶつけ合うか、事前に擦《す》り合わせをしておこう、という話だったかもしれない。リアリズム外交の発想とはそういうものです。

元徴用工問題や慰安婦問題について、こうした「大人の駆け引き」をするのは安倍政権時代には無理だったかもしれません。日本の外務省は菅首相のもと、バイデン時代の到来によく対応しているというのが私の評価です。

岡部　中ロの脅威が深刻化する

民主党が進める「アイデンティティ政治」が社会に与える影響の深刻さについては、政治学者のフランシス・フクヤマ氏が著書『アイデンティティ』（山田文訳、朝日新聞出版）で強調しています。

財源不足の問題から福祉国家の政策が行き詰まり、存在意義を失った左派は少数派の権利を重んじるアイデンティティ政治を唱えはじめた。その反動として生じたのが「トランプ現象」であり、アメリカ国民の統一原理としてナショナル・アイデンティティの再構築を訴える人びとです。

アイデンティティ政治の特徴の一つは、極端なまでの攻撃性です。野党時代の民主党の攻撃性は、根拠のない「ウクライナ疑惑」（上院で否決）でトランプ大統領を弾劾した点に象徴されるでしょう。

ウクライナのゼレンスキー大統領に軍事的援助を施す見返りにバイデン氏に関する不利な情報を引き出したという疑惑ですが、結局、証拠らしいものは何一つ出てこなかった。にもかかわらず、アメリカの主要メディアは民主党と一緒に連日、トランプ大統領を強烈に非難しました。

さらに呆《あき》れるのは、あれだけウクライナ疑惑を騒ぎ立てたCNNなどの主要メディアが、バイデン氏と彼の次男が中国企業から利益供与を得たとされる「中国疑惑」については口をつぐんで報じなかったことです。

二〇二〇年の大統領選で、アメリカはまさに真っ二つに割れたといえます。共和党と民主党の戦いの凄まじさは、バイデン氏が史上最高の八〇〇〇万票超を獲得した一方で、トランプ氏も史上それに次ぐ七三八〇万票以上を獲得したことです。

この分断状況は、私が産経新聞社ロンドン支局長時代に体験した、二〇一六年のイギリス国民投票時の雰囲気と似ています。ＥＵ離脱派と残留派の支持率は五一・八九％対四八・一一％と拮抗しており、いまだに両者の対立は尾を引いている。

国論を二分するイギリスの分断状況について、ジャーナリストのデイビッド・グッドハート氏が同国のベストセラー『The Road to Somewhere』（『ある場所への道』、未邦訳）で「Anywhere と Somewhere の対立」を論じています。

Anywhere というのは、「どこでも」生きていける高学歴のエリート層のこと。彼らはリベラルな価値観をもち、多様性と変化を喜んで受け入れるグローバル化の「勝ち組」です。彼らの多くが、二〇一六年の国民投票でＥＵ残留を選択しました。

Somewhere というのは、「どこか」限られた場所（半径三〇キロメートル圏内）で一生を暮らす人びとのこと。伝統や慣習を重んじる保守層で、多くがグローバル化の波に乗り遅れた

「負け組」です。彼らの多くが、国民投票でＥＵ離脱を選択しました。そして、後者による前者の拒絶の結果がブレグジットである、とグッドハート氏は述べたのです。

国民投票の結果を地域別に見ると、北部のスコットランドとアイルランドの大半がＥＵ残留派の得票が多く、イングランド北部の旧工業地帯は離脱派が多い。イングランドで残留派が勝ったのはロンドン周辺の都市部に限られ、ここはまさに「Anywhere」の人びとが多く暮らす地域です。

イギリスの例を今回のアメリカ大統領選挙に当てはめると、西海岸および北東海岸は民主党が勝利した州が多く、共和党が勝利した州は中西部と南部に多い。西海岸および北東海岸の代表的都市はロサンゼルス、ニューヨーク、ワシントンなどアメリカ経済、政治の中心です。グローバリズムの恩恵を受けたエリートが多く住む、民主党の牙城《がじょう》です。

他方で中西部と南部にはグローバル化から取り残された「田舎」が多く、古き良きアメリカを愛する白人の保守層が共和党の支持者となっています。

五大湖周辺のラストベルトは、まさにグローバル化に取り残された人びとが住む地域です。前回の大統領選挙で奪われた州を民主党が奪還しましたが、いずれも僅差の勝利でした。前述のように、新型コロナ禍がなければトランプ氏が制していた可能性が高いでしょう。

民主党は大統領選には勝ったものの、下院では逆に議席を減らす結果となり、上院では共和党と五〇議席ずつ分け合う結果となりました。上院で採決が同数となった場合、議長を兼務するハリス副大統領が決定票を投じるため、事実上、民主党が過半数となり、「ねじれ」は解消されました。しかし、勢力が伯仲《はくちゅう》しているため、重要法案の実現には共和党との妥協が不可欠で、綱渡りの政権運営を余儀なくされます。

バイデン氏が重要法案で共和党と妥協すれば、左派からの突き上げは避けられない。民主党の中道派は、上下院の苦戦を「民主社会主義」を標榜《ひょうぼう》するサンダース上院議員や「反ウォール街」の姿勢を貫くウォーレン上院議員、気候変動問題に取り組むアレクサンドリア・オカシオ＝コルテス下院議員ら左派の存在が足を引っ張ったためと捉えていましたが、両者の確執が再燃すれば、バイデン大統領はレームダック（死に体）状態に陥るかもしれません。

こうした混乱状況は、現在のアメリカがもつ弱さそのものだといえます。アイデンティティ政治の行き着く先は、際限のない分裂と混乱にほかなりません。

さらにグローバルに見れば、世界を牽引してきた最大の現状維持勢力アメリカに政治的空白が生じることは、現状変更勢力である中国、ロシアを利するだけです。

二〇一六年六月にイギリスが国民投票でブレグジットを選択した直後、ロシアのプーチン大統領と中国の習近平主席は早速、首脳会談を開き、その後、ヨーロッパを牽制する中ロ軍事演習をこれ見よがしに行ないました。

そして現在の中国は、尖閣諸島沖や台湾海峡で軍事演習を行ない、大統領選後のアメリカの混乱を見据えたかのような動きに出ています。日本と東アジアの安定にとっても「強いアメリカ」の回復は不可欠です。現状では、アメリカが「世界の指導者」に返り咲くには、数年から場合によっては十数年かかると懸念されます。

佐藤　日本の南北朝時代に似た混迷

われわれが想像する以上に、アメリカ社会の混乱は深刻です。尖閣諸島がいくら危ないかといって、中国との衝突は絶対に避けなければならない。そこで迂遠《うえん》なようですが、まず現状を正しく知るための分析から始める必要があります。

たとえばアメリカ大統領選当時、テレビの報道番組では各州の選挙人獲得状況を民主党カラーの青、共和党カラーの赤に塗り分けて表示していました。たしかに西海岸や北東海岸地域は青一色、それ以外の地域が赤になる。

しかし、この赤青表示が視聴者に誤解を与える元凶です。実際には州のなかでも郡や市、区ごとに民主党と共和党の支持者は混在しています。もっと細かくプロット（描画）すれば、アメリカの地図は青と赤が溶け合った「紫」に見えるでしょう。この紫色の状態をまざまざと見せることこそが、アメリカが陥った国家的混乱を伝える報道のあり方ではないでしょうか。

二〇二〇年の大統領選について、北部の州と南部の州が戦った南北戦争（一八六一～六五年）とのアナロジー（類比）で説明する向きもありますが、同じ理由で誤りです。たしかに、過去に起きた出来事をもとに現在の情勢を読み解くセンスは必要です。日々の情報に振り回されず、巨視的な視点から分析できるようになる。でも、そこで参照する歴史を間違えてはいけない。

アメリカの大統領選の結果はむしろ十四世紀、日本の南北朝時代にたとえられると思います。京都の北朝の天皇に対峙するかたちで、すぐ南の吉野に南朝の天皇がいる。南朝の「闘う貴族」北畠親房《きたばたけちかふさ》は、吉野から遠く離れた常陸国《ひたちのくに》（現・茨城県）で『神皇正統記《じんのうしょうとうき》』を書いて関東における反幕勢力の糾合《きゅうごう》を図りました。

親房にそれが可能だったのは、常陸国に南朝を支持する神社勢力という裏のネットワークがあったからです。現在のアメリカ民主党も地域を超えたアイデンティティ政治でネットワークづくりに成功したけれども、政権発足後はアイデンティティが仇《あだ》となって内部分裂をもたらす恐れがある。バイデン政権は当面、新型コロナ対策と民主党内の不協和音を宥《なだ》めるのに手一杯で、外交どころではないでしょう。トランプ時代にも増してアメリカが内向きになる可能性は否めません。

もう一つ、近年のアメリカの国家的混乱を象徴する出来事が、二〇二〇年五月、中西部のミネアポリス（ミネソタ州）での白人警官によるアフリカ系アメリカ人の殺害事件をきっかけに全米で起きた抗議活動です。アメリカ国内の人種の分断が、放火や略奪を含む暴力的衝突にまで発展してしまったわけですが、そうした過激なデモに「アンティファ（アンティ・ファシスト、反ファシストの意味）」が関与しているというトランプ大統領の主張は、日本のメディアが報じたような「妄想」とはいえません。

アンティファは現に存在するアナーキスト系の国際的ネットワークであり、彼らの力を侮《あなど》ってはいけない。日本人が国際組織に関する感覚が鈍いのは、戦前のいわゆるアナボル論争で、アナーキストがボルシェビキ（共産主義者）との論争に負けた歴史が大きい。「アナーキズムは古びた過去の思想」という思い込みがあります。

ところがヨーロッパでは、いまなおアナーキズムの勢力が強い。フランスの「黄色いベスト運動」もアナーキズムの一種で、イタリアやイギリスにもアナーキズムを支持する人びとがいます。日本でいえば、一九七四年から七五年、連続企業爆破事件を起こした東アジア反日武装戦線も、アナーキズムの傾向がありました。

アナーキストの戦術を理解する格好のテキストが、ファシスト党の党員として活動したのち、ムッソリーニやヒトラーに批判的な立場をとって追放処分を受けたイタリア人、クルツィオ・マラパルテの著書『クーデターの技術』（手塚和彰・鈴木純訳、中公選書）です。

マラパルテは一九一七年の十月革命でトロツキーが実行した手法を考察し、「国家の神経組織、すなわち発電所、鉄道、電信・電話、港湾、ガスタンク、水道」の都市インフラや通信ネットワークを暴力的に押さえれば、国家権力を奪取できると考えました。現代でもトロツキーの戦法は有効で、ネットワーク分野に長《た》けた技術者を専門家に育成してサイバーテロを行なえば、物理的な暴力すら用いず、国家機能を麻痺させてしまうかもしれない。

近年、日本でも国会周辺のデモのなかにアナーキスト集団に属すると思われる活動家の姿が見られます。国際組織のネットワークと連携している可能性もあり、公安警察や公安調査庁は彼らの動きをしっかり監視しています。情報工作を含め、アナーキズムの脅威を決して軽視すべきではないでしょう。

岡部　暴動が拡大したのは民主党が首長の市

全米を揺るがす暴動の発端となったミネアポリスといえば、一九九四年、私がインターンとして勤務していた地方紙のオフィスがあったグランドフォークス（ノースダゴタ州）からいちばん近い都市でした。週末ごとにメジャーリーグの試合観戦などで足を運んだ懐かしい街でもあります。南部のデューク大学（ノースカロライナ州）に留学していたときに感じたような、露骨な黒人差別は事実としてありませんでした。

もともとミネアポリスは、副大統領、駐日大使も務めたモンデール氏に代表される民主党の強力な地盤であり、全米でもっともリベラルなところです。そこであの悲劇が起きたことは、にわかには信じられませんでした。

アメリカのメディアは、問題の背景に人種差別問題や法の執行機関による歴史的な抑圧構造があると指摘しています。トランプ政権が黒人差別や貧富の差を拡大し、さらにコロナ禍の対応に誤ったことで、マイノリティの怒りが爆発して騒動が拡大したとの分析も見られました。

しかし、全米各地で起きたのは、「人種差別に対する抗議の範囲」をもはや完全に逸脱した、不法な略奪や破壊行動でした。アメリカ政府がこうした「不法な暴動や略奪行為」を放置せず、「法と秩序」を守るため軍の導入を含む強硬手段をとり、二五以上の都市で夜間外出禁止令を出したのはやむをえなかったとも思います。

そもそも騒擾《そうじょう》が拡大したのは民主党が首長の市ばかりで、暴徒の破壊活動を傍観するのみでした。ニューヨークのデブラシオ市長に至っては、暴動に参加して逮捕された娘を「親として最高の誇り」と称《たた》えて問題になりました。

佐藤さんも指摘されたアンティファに対しても、民主党は「自由を求める闘士」と擁護《ようご》して、反トランプ運動に利用していたとされます。大統領選でトランプ氏と争ったバイデン氏の選挙スタッフが、暴動で逮捕された人間に保釈金を提供していることが判明したからです。

気になるのは、デモ隊のなかに中国工作員が紛れて参加していたとされることです。その様子はアメリカのテレビでも放映され、サンフランシスコでは中国人留学生が拘束された。デモへの人的協力のみならず、アンティファに資金提供していたとしても不思議ではありません。米民主党と中国共産党は、トランプ再選阻止で利害が一致していました。背後でちらつく中国の影が不気味です。中国の情報工作が、佐藤さんも指摘されたアナーキズムと結びついていないことを祈るばかりです。

佐藤　真っ先に電話会談したジョンソン首相

バイデン政権のもう一つのポイントは、宗教です。バイデン氏はアメリカ史上、ケネディに次ぐ二人目のカトリックの大統領です。宗教弾圧を続ける中国との関係がどう展開するのか。バイデン氏は二〇二〇年十一月十二日、カトリックの総本山であるバチカンのフランシスコ教皇と電話会談を行ないました。外国宗教団体の活動を認めていない中国の共産党政権に対し、バイデン氏は信仰と人権を重視する立場から強い態度を示したいはずです。かといって増大する中国の国力を前に、正面切って対決するわけにもいかない。

では、アメリカ以上に中国の現実的脅威にさらされた日本はどうすべきか。参考になるのは、イギリスの動きです。岡部さんが『新・日英同盟』（白秋社）で書かれたように、アジア太平洋に再進出するイギリスとの連携が重要だと私も考えます。

欧州の指導者のなかで、当確を決めたバイデン氏と真っ先に電話会談をしたのも、イギリスのジョンソン首相でした（ジョンソン首相の公式ツイッターに掲載されたバイデン氏への祝辞画像にはうっすらトランプ氏の名前が見えており、官邸の報道官が釈明に追われる事態になりました）。ジョンソン氏はいち早くトランプ氏に「見切り」をつけたわけで、さすがリアリズム外交の国といってよい。その点では、日本の菅首相も抜け目なく対応しています。今後、必要なのはバイデン政権周辺の公式・非公式の人脈づくりでしょう。

米中熱戦のイデオロギー

岡部　対中依存に陥った日本経済の質的転換を

日本をはじめ自由主義諸国に欠けているのは、新型コロナウイルス対策で連携、協調を示す姿勢です。早い段階で防疫《ぼうえき》を成功させた台湾の情報などは、いまだ新型コロナ禍に苦しむ日本と世界にとって大いに参考になるはずでしょう。

さらに新型コロナ対応で明らかになったのは、対中依存に陥った日本経済の脆弱性です。マスクはもちろん、国民の生命に直結する医療機器すら中国頼みだったことに驚いた人も多いでしょう。医療品など付加価値の高い戦略物資は生産拠点を日本に戻し、ベトナムやインドネシアなどアジアの親日国に対する投資を積極化させるべきです。

他方で、イギリス、アメリカ、カナダ、オーストラリア、ニュージーランドのアングロ・サクソン五カ国、いわゆるファイブ・アイズはすでに中国抜きのサプライチェーンを相互に補完、構築する準備を進めている。前述したように、こうした連携の輪に日本が加わるべきだと考えられます。

かつて日本はレアアースの供給を中国に依存したため、中国の禁輸措置によって大打撃を受けました。そこでEUやアメリカと連携を強め、調達先をフランス、ベトナムなど他国に広げることで中国の包囲網を切り崩したことがあります。この経験を再び生かしてほしい。

経済のリスク対応に加え、安全保障の点からも日本は中国の投資と買収から国内産業を守ることを考え、実行しなければならない。日本政府は二〇二〇五月八日、改正外為法（外国為替及び外国貿易法）の施行に合わせて原子力や武器製造、医薬品など安全保障上、重要度が高い一二分野を「コア業種」と位置づけました。そして、海外投資家が株式を取得する際の事前届け出の基準を「一〇％以上」から「一％以上」に引き下げることを決めたのです。

とはいえ、ファーウェイに禁輸措置を下したアメリカと比べれば、日本の対応はまだ甘いといわざるをえません。インテリジェンス担当者も参加する対米外国投資委員会（CFIUS）では、アメリカの全業種で安全保障上の懸念を点検・調査しています。万が一、不正や違反が見つかれば、過去に遡って処罰できるようになっている。

しかし、日本の場合は形式的な事前規制でしか網をかけられず、死角が生じかねない。欧米と情報を共有し、中国のスパイ行為や技術流出の防止策を徹底すべきです。

さらに今回、新型コロナ禍でもっとも打撃を受けたのは百貨店やドラッグストア、旅行代理店、観光関連業でした。「観光で日本経済は復活する」と語るエコノミストに踊らされ、中国人観光客の「爆買い」に依存した外需依存の構造自体に問題があります。

世界ではアニメ、マンガ、ゲームといった日本のコンテンツが「ネオ・ジャパニズム」としてブームを呼んでいます。日本は自国の強みを見直し、文化の輸出戦略に注力すべきでしょう。相手先としては二〇一九年、ラグビーのワールドカップで日本を訪れてわが国の魅力を知ったスコットランドやオーストラリア、南アフリカなど英連邦諸国もソフト・パワーを輸出するパートナーになりえます。

佐藤　生産の国内回帰は進むか

一九九一年十二月のソ連崩壊で冷戦が終結したのち、グローバル資本主義の浸透が一貫して続いてきました。しかし、新型コロナでグローバリゼーションの流れが変わり、世界は「鎖国」の時代を迎えるという人がいます。

だが、この見方は誤りです。たしかに感染防止を目的に各国は海外からの移動や輸入を制限しました。でも、それはグローバリゼーション自体の終焉を意味するものではない。現在、起きていることを正確に表現すれば、「インターナショナリゼーション」です。国民・国家の枠は従来と何も変わらず、国家間の戦略的な結びつきがより複雑になり、深化する。多国間の動静を見極めることが重要です。

安全保障の面からすれば、たしかに今回の新型コロナを機に、中国との関係見直しを迫る向きは強い。しかしグローバル展開を行なう企業のなかに、経済合理性の観点から「新型コロナ後の中国との関係強化が逆にプラスに働く」と判断するところが出るかもしれない。利益を追求する民間企業を抑制する主体があるとすれば、それは国家以外にない。民間に対する国家の介入の度合いが強まることで、グローバリゼーションへの歯止めはむしろ強化されると考えられます。

ただしその際、歯止めの条件は国民の消費行動が変容することです。単純な話で、中国産の安いマスクより、高くても国産がほしいと考える消費者が増えなければ、いくら政府が音頭をとっても生産の国内回帰は進まないからです。

農産物についても同様のことがいえます。周囲のビジネスパーソンに話を聞くと、新型コロナがもたらした数カ月の自粛生活で消費行動が変わったそうです。移動費や遊興費にお金を使う機会が減り、食費が増えたという。素材や味のこだわりも強まっており、多少高くても地産地消でおいしいものを食べたいと思う日本人が増えれば、農業の発展につながるでしょう。

日本経済に関する大きな問題は、国債発行の増大で為替が大幅な円安に振れ、インフレが生じる懸念です。インフレになれば、利子率が高騰し、国債の利払いが増えるだけではなく、一九七〇～八〇年代初めのスタグフレーション（不況と物価上昇の同時発生）の悪夢が再来するかもしれない。新型コロナの第二波、第三波の来襲で日本国が滅びることはないにしても、大不況は実際に起こりうるシナリオです。

岡部　三つの極に分断される世界

日本は、中国という世界最大の市場との関係を見直すことで、経済損失を余儀なくされるでしょう。しかし、それでも私は西側同盟国との連携を優先すべきだと考えます。日本が自由や民主主義、基本的人権といった価値観を共有する民主主義陣営に立つのは自明の理です。

そして、アメリカの敵は中国にほかならない。新型コロナの拡大前から、米中はすでに貿易戦争の状態にありました。アメリカと同盟を結ぶ日本が、米中新冷戦のなかで敵側につくことは考えられない。

ドイツやフランスを中心とするEUは、中国問題よりもロックダウンで落ち込んだ自国経済の立て直しを最優先に考えていました。香港問題についても、英米中心のアングロ・サクソン連合に加わって中国に対決型アプローチをとる姿勢は見られません。

いま世界は、中国やロシアの「権威主義国家」と、アメリカ、イギリス、オーストラリア、カナダの民主主義国家を中心とした「アングロ・サクソン連合」、そしてドイツとフランスが主導する「EU」という三つの極に分断されつつあります。日本の菅首相は日米同盟を軸にしつつ、イギリスとの「新・日英同盟」を視野に入れてTPP11に英米を巻き込み、中国の覇権からアジア太平洋の平和を守る姿勢を鮮明にすべきです。イギリスと並ぶミドルパワーであり、アメリカのジュニアパートナーである日本が果たすべき役割は大きい。

佐藤　日米同盟を与件とするしかない

日本が世界の動きを見る目は、日米同盟を与件とするしかない。その意味で、日本はすでに米中の対立に巻き込まれており、日本がとれる選択肢は初めから限られている。

仮にこれが中ロ対立、あるいは中韓対立であれば、日本がどちらの肩をもつかという議論はありえます。しかし米中対立に関し、日本に選択の余地はゼロです。アメリカがどれほど不安定でも、日米同盟という大枠のなかで中国、ロシアとのバランスを考えるほかない。

二〇〇六年、第一次安倍政権時に唱えられ、二〇一二年からの第二次安倍政権で再び提唱されるようになった「自由と繁栄の弧」の戦略は、まったく現実的ではありませんでした。アメリカや西欧諸国、トルコ、インドや東南アジア諸国と組んで、中国とロシア、イランを同時に封じ込めるという話は、一種の誇大妄想でしょう。

近年の日本外交は勢力均衡をめざしており、より現実主義的になっていると評価できます。新型コロナ対応の名目で習主席の来日が延期されたのも、日本にとっては幸運だった。経済の再建に集中する時間を手に入れることができたからです。インターナショナリゼーションの時代における日本外交の選択肢は、いっそう困難なものになると思います。

岡部　自由主義陣営の連携を訴えたポンペオ演説

バイデン政権が、新型コロナ禍以降、香港国家安全維持法の制定などでいっそう覇権志向を強める中国に対してどう対処するか、期待と不安が交差しています。そこでまず、トランプ政権時代の外交政策を振り返ってみたいと思います。

トランプ政権時代の対中政策を象徴するのは、二〇二〇年七月二十三日、カリフォルニア州のニクソン大統領記念図書館でマイク・ポンペオ国務長官が行なった演説です。米中が和解した一九七〇年代半ば以降の対中政策を、「中国に無分別に関与していく、という古い枠組みは失敗した」「中国が自由社会や市場経済を悪用して台頭するのを看過した」と厳しく批判しました。そのうえで「現在の中国は国内でいっそう権威主義化し、国外では自由を攻撃し敵視している」とし、「米経済と米国的な生活様式を守る戦略が必要だ。自由世界は新たな専制国家に打ち勝たなくてはならない」と強調しました（二〇二〇年七月二十四日付「産経新聞」）。

習近平主席を論じた部分に至っては、「破綻した全体主義思想を心から信じており、中国的共産主義に基づく世界的覇権を何十年間も切望してきた」と非難するほどで、東西冷戦下にレーガン大統領が対ソ交渉で「信頼せよ、されど検証せよ」と唱えた言葉を引用し、中国共産党を「信頼せず、（行動を）検証しなくてはならない」とまで述べています。

ポンペオ氏が演説の会場にニクソン大統領ゆかりの図書館を選んだのは、アメリカの国策転換を内外にアピールする意図からでしょう。ニクソン氏といえば、ご承知のように一九七二年、アメリカ大統領として初めて中華人民共和国を訪問して国交を樹立（七九年）。対話や経済交流など中国と一定の関係を保持しながら、変化を促して国際社会に組み入れる「関与政策」を進めました。

しかし期待された中国の民主化は実現しないどころか、共産主義独裁体制が強化され、ニクソンはのちに「フランケンシュタインをつくってしまったのではないか」と嘆いたそうです。ポンペオ氏はこの言葉を引き、「（中国が）怪物のフランケンシュタインと化した」と語ったのです。

ポンペオ演説は、アメリカがイランや北朝鮮に対して採ってきたアプローチと共通する部分があります。すなわち、独裁政権（中国の場合は共産党）と一般市民を区別し、市民に対して自由を求める行動を促す手法です。その一方で、中国では共産党の一党独裁に対する大規模な反体制運動は起きていません。経済成長により、国民が物質的な豊かさを享受してきたことが一因でしょう。

しかし現在の中国経済は、製品の心臓部となる部品を日韓からの輸入に頼っています。先端技術や知的財産は両国やアメリカから略取し、安価な商品を国内外に流通させることで成り立っている。中国はハイテク分野で「中国製造二〇二五」を掲げて覇権の確立をめざしています。

自由主義諸国がこれ以上、中国への情報・技術流出を許せば、アメリカと同盟国の安全保障にとって重大な脅威となります。だからこそ、ポンペオ氏は「自由世界は新たな専制国家に打ち勝たなくてはならない」という言葉で、自由主義陣営の連携と新たな有志連合の形成を提言したと私は捉えています。

ところが、肝心の自由主義諸国の足並みが揃わない。欧州ではイギリスやスウェーデンが中国の「戦狼外交」と対峙する姿勢を打ち出す半面、ドイツやフランスは煮え切らない態度を見せています。欧州とアメリカの関係を見ても、トランプ大統領時代にNATOのアメリカ軍駐留費削減や、温暖化対策の国際的枠組みである「パリ協定」やWHO（世界保健機関）からのアメリカ脱退の問題で、埋めようがないほど溝が深まってしまった。バイデン大統領はトランプ氏の決定を覆し、国際協調を打ち出していますが、完全修復は難しいでしょう。

こうした状況のなかで、日本はどのようなアライアンスを構築すべきなのか。再三、申し上げてきたとおり、私はアングロ・サクソン諸国からなるファイブ・アイズとの海洋国家連携を強化することが、日本の生存を考えるうえで死活的に重要な選択だと思います。

佐藤　アメリカの対中認識の根本的な誤り

まずポンペオ国務長官の演説については、単独の発言として捉えず、あくまでもトランプ政権高官の一連の発言の文脈のなかで位置づけて理解すべきでしょう。そのうえで結論を先にいえば、同演説は近年のアメリカが行なってきた外交政策のなかで最大の失策であるといってよい。

注目すべきはポンペオ演説の約一カ月前、六月二十四日にロバート・オブライエン大統領補佐官（国家安全保障担当）がアリゾナ州フェニックスで行なった演説「中国共産党のイデオロギーと世界的野望」です。オブライエン氏は「中国共産党はマルクス・レーニン主義の組織であり、習近平総書記は自らをスターリンの後継者と見ている」と語りました。

七月十六日、フォード大統領博物館でウィリアム・バー司法長官が行なった演説も、中国が共産主義のイデオロギーによる世界支配を企んでいると見なす点で共通しています。

ポンペオ氏の発言が、この二人の発言の延長線上になされたことは明白です。

ところが七月七日、ＦＢＩのクリストファー・レイ長官がハドソン研究所で行なった演説はベクトルがやや異なります。レイ長官は中国の脅威について、その野望を正確に理解しなければならないと語りました。レイ氏は中国の脅威を、軍事力を背景に国利の極大化を図る「帝国主義」によるものと捉えました。この点、中国の脅威を「共産主義」のイデオロギーに起因させるポンペオ氏らとは違う見方です。

現在のアメリカには、中国による脅威の原因に関して帝国主義と共産主義という二つの認識があります。では、正しいのはどちらなのか。

かつてソ連は、スターリン時代にコミンテルン（共産主義インターナショナル）を用い、各国に共産党支部をつくって世界革命を推進しようとしました。この流れは、ゴルバチョフ時代にソ連が崩壊するまで続きます。

他方で、中国は一九五〇年代後半に中ソ対立（一九五六年、ソ連のスターリン批判を皮切りに生じた毛沢東の中国とフルシチョフのソ連との路線対立）が起きてから、表向きは「中国こそ国際共産主義の主導者である」という姿勢を見せながら、裏ではなりふり構わず権益の拡張をめざす帝国主義的行動を繰り返してきました。マルクス・レーニンのイデオロギーより、国益を拡大する実利を重んじたわけです。

　現在のアメリカが中国を見誤っているのは、旧ソ連の共産主義イデオロギーの幻影に怯《おび》え、実利を追求する帝国主義国という本質を認識していない点です。思想に流された結果、外交上のリアリズムを欠くようなことがあれば、アメリカおよび同盟国の将来も危ういといわざるをえない。現実の認識に基づいて進めるべき外交の基本を忘れた政治家の悪しき例として、ポンペオ演説は後世に刻まれることでしょう。

岡部　アメリカ主導の対中包囲網に入るほかない

　旧ソ連の共産主義と結びつけて中国の脅威を訴えるトランプ政権の姿勢は、たしかに短絡的なところがあるかもしれません。それだけアメリカは、共産主義への警戒心が強い国である、ともいえるのではないでしょうか。

　トランプ政権に批判的であった政治学者フランシス・フクヤマ氏ですら、中国の通信機器大手ファーウェイの排除政策を「目的自体は正しい」と評価していました（「古代王朝からひもとく習近平体制の実態」、「中央公論」二〇二〇年九月号)。フクヤマ氏は同論文で、「自由民主主義国家の国内で、中国という国家の支配力が及んでいる企業に基本的な情報インフラの構築を許すなど、狂気の沙汰である」と指摘しています。

さらに、「アメリカや他の自由民主主義国家は、中国との経済的な取引から徐々に手を引いていくべきだろう」「民主主義という共通の価値観を持つ国々との取引を行うことを考えるべきだ」と訴えている。

またフクヤマ氏は、現在の習近平体制を古代王朝の秦以来の「全体主義」の伝統を継ぎつつ、「二十世紀のソ連のような全体主義を志す国家」と断じており、「我々の敵は中国という国家ではない(中略)。より完全な全体主義の実現を目指している中国共産党である」としています。この見方は、先のポンペオ演説の主旨とほとんど一致している。

佐藤さんも言及された七月七日のレイFBI長官の演説は、中国が新型コロナウイルスを研究するアメリカの医療機関、製薬会社、学術機関から研究成果を盗み出そうとしていることも明らかにしました。

中国のスパイ活動による技術盗用が横行しており、FBIが捜査中の約五〇〇〇件のスパイ事件の半分は中国に関連しているという。この点から、アメリカの安全保障にとって最大の脅威は中国である、とレイ長官は訴えています。

　また、ポンペオ国務長官が述べるように、「対中国で新たな民主主義同盟を形成すべき時が来ている」とすれば、日本はまさに自由と民主主義を守るため、アメリカ主導の中国を封じ込める包囲網に入るほかないでしょう。アメリカが中国共産党政府に対して伝統的な関与政策を捨て、対決姿勢を明確に打ち出した意味は歴史上きわめて大きいと考えられます。

佐藤　米中対立が一線を越えて「熱戦」になる恐れ

　もし「米中対立」という問題が大学の研究室での議論であれば、両者の関係は「資本主義VS共産主義」のイデオロギー闘争ではなく、「帝国主義VS帝国主義」の国益の衝突であると学者的に説明しておけば済む話でしょう。

　しかし現実としては、世界最強の国家アメリカが犯した基本認識の誤りが世界に与える影響は甚大《じんだい》です。下手をすれば米中対決は冷戦ではなく、武力衝突を伴う「熱戦」に発展する懸念があるということです。

　これに対して、トランプ大統領の対中攻撃は大統領選挙対策のアピールにすぎなかったと捉える見方はそれこそ本質を見誤っています。たとえば、米紙「ウォール・ストリート・ジャーナル」は二〇二〇年七月二十七日の社説で次のように指摘しています。

「一つ懸念されるのは、中国政府が米国の新たな姿勢をトランプ大統領による選挙戦略の一つだとして切り捨てる恐れがあることだ。

それは過ちになるだろう。例えば、民主党は米国の対イラン措置を厳しく批判しているものの、トランプ政権が中国政府を攻撃しても、それを支持したり、黙認したりする姿勢を示している。この新たな姿勢は、ブルーカラーの有権者から産業界および安全保障分野のエリートに至るまでの層の間で、中国があまりにも長い間、罪を逃れ過ぎているとのコンセンサスが生まれつつあることを反映している。ジョー・バイデン氏が次の大統領になったとしても、その政権は、西太平洋の緊張した状況と、米国内における中国の影響力を標的として進められている多数のスパイ防止活動や刑事捜査を受け継ぐことになる」

アメリカの世論を見ても、新型コロナウイルスが中国の武漢市から発生・拡大したことで、一般国民の対中感情は極度に悪化しています。

アメリカでは十九世紀末から、黄色人種は白人にとって危険な存在であると考える「黄禍《おうか》論《ろん》」が根強い。国内の排外世論が高まれば今後、「中国を懲罰すべきである」というコンセンサス（世論の一致）がアメリカの社会のなかで形成されるかもしれない。仮にそうなれば、米中対立が冷戦と「熱戦」の一線を越える日もそう遠くはないといえるでしょう。

だからこそ日本はイデオロギーではなく、冷徹なリアリズムに基づいて行動しなければならない。目下の課題は、日本で「親中派」とされる要人への攻撃をいかに防ぐかでしょう。

たとえば、二〇二〇年七月二十七日付の「産経新聞」は、アメリカの有力な政策シンクタンク「戦略国際問題研究所」（ＣＳＩＳ）がアメリカ国務省の支援で作成した報告書に、安倍首相の対中政策を大きく動かす人物として今井尚哉首相補佐官と自民党の二階幹事長の名を記した、と報じています。この報告書は「親中派の今井氏と二階氏を政権から外せ」というアメリカの一部勢力による圧力といえるでしょう。

こうした親中派バッシングに対し、安倍政権当時の国家安全保障局はイデオロギーに流されない分析を行なっていました。引き続き菅政権でも同じ見方を共有する必要があります。

リアリズムに基づく日中関係の分析として参考になるのは、たとえばエマニュエル・トッド氏の見方です。

「国際関係には必ず、文化同士の類似性という点が重要になってきます。日本と中国の何が違うかというと、中国の人口が日本の一〇倍以上もあるという点なのです。だから中国と日本が共通の政治圏を築くということは、結果として日本の消滅を意味します。これは単純に人口規模の違いなのです。ゆえに、ベトナムは中国の脅威を退《しりぞ》けるため、あれだけひどい目に遭わされたアメリカとの和解を全くためらわなかったのです。とにかく、世界人口の約五分の一を占める中国に対しては、彼らとの統一を目指すよりも、彼らから身を守ることを考えるのが当たり前だと言えるでしょう。さらに言えば、今の中国は新たな全体主義システムを生み出したところですから、日本は今のところアメリカと同盟関係を結ぶしか選択肢がないわけです」（前出、『大分断』）

トッド氏は右のように日米同盟の必然性を述べたうえで、日本の安全保障政策についてこう提言します。

「でもだからこそ、私は『日本は核武装をしたら良い』と考えます。もちろん、日本は被爆国として核保有に対する抵抗が強いこともよく理解しています。しかしあの時代はアメリカが唯一の核保有国で、また、アメリカ自体が非常に人種差別的な時代であったという背景も含めて考えるべきなのです。確かに日本では福島の原発事故がいまだ記憶に新しく、日本の核に関するリスクは地震と津波であるという点も理解できます。しかしそれでも、結果的に日本は国家の自立を守るために核エネルギーの利用を続けています。私からしてみたら、リスクの高い核の利用法（原発）を続け、一方で国の安全を確実なものにする方の核（兵器）を避けているように見えるのです。日本が核武装をすれば中国との関係は大きく変わり、この規模の異なる二国間の平和はほぼ永久的に約束されると思います」（同書）

私は、トッド氏が提言する「日本核武装論」には賛同しません。しかし、中国が日本の脅威である理由を文化ではなく、人口規模の違いに求める点はたいへん傾聴に値します。日本はイデオロギーではなく、こうした人口学や地政学に基づいて政策決定を行なうべきだと思います。

権威主義国家の膨張と台湾海峡危機

岡部　ウイルスの発生を隠した中国共産党

二〇一九年十二月に中国・武漢市で発生した新型コロナウイルスの感染拡大は、現在でも収束に至っていません。個人的に興味深いのは、アメリカの一部で囁かれる「新型コロナ＝生物兵器」説です。

ポンペオ国務長官は初期の段階で「新型コロナの発生源は武漢の研究所である」と唱え、退任前の二〇二一年一月にも同様の発言をしました。生物兵器説の真偽はともかく、ウイルスの流出という人災説は中国の国内にも存在します。一つ確実にいえるのは、独裁体制の中国が武漢における新型コロナの発生を当初、隠蔽《いんぺい》したことです。

キャメロン首相の時代に「英中黄金時代」といわれたイギリスの親中姿勢は、コロナ禍を機に反転しました。周知のとおり、先進国のなかでイギリスの感染被害は甚大です。首都ロンドンでは、感染力が強い変異種の蔓延が制御不能となり、医療崩壊の危機を繰り返してきました。再三のロックダウンにもかかわらず感染者はまったく減らず、二〇二一年一月八日にサディク・カーン市長が「重大インシデント（事案）」を宣言しました。「新型」の名が示すとおり、このウイルスは変異を繰り返す性質をもち、開発されたワクチンがそれらの変異種に有効かどうかも不明です。

イギリスの対中感情が悪化した最大の要因は、偽証を嫌うアングロ・サクソンの国民性にあります。中国共産党がウイルスの発生を隠し、虚偽の発表で世界に感染拡大を招いた事実をＭＩ６が突き止めたことが大きい。未知のウイルスが引き起こすパンデミックは世界に恐怖と不安をもたらし、経済活動と国民の生命に深刻な打撃を与えています。たとえ自然発生的なものであったとしても、中国の態度はもはや安全保障上の脅威というほかありません。

佐藤　生物兵器説は質の悪い陰謀論

まず生物兵器説についていえば、新型コロナウイルスの遺伝子データは公表されており、人為的な操作が加えられた痕跡《こんせき》はない、というのが世界の研究者のコンセンサスです。そもそも生物兵器を開発する場合、ワクチンも併せて開発するのが常識です。自国が開発した生物兵器で自国民に感染が広まったら、兵器として使い物にならないからです。中国には相当数の感染者と死者が出ており、生物兵器説は質《たち》の悪い陰謀論にすぎない。

中国の内情に関して、イギリスはともかく、アメリカからの情報は当てにならないことがあります。もともと私は、アメリカのヒューミント（人によるインテリジェンス）と分析能力に疑いをもっています。二〇〇三年三月二十日から始まったイラク戦争でも「大量破壊兵器」は存在しなかったことが、複数の公的調査官による事後調査で明らかになった。当時のアメリカの情報機関が頼りにしたのは、「カーブボール」というコードネームの亡命イラク人です。しかし、この男が提供した情報はまったくの虚偽だった。

当時のブッシュ政権の問題点は、大量破壊兵器があるという都合のよい「情報」をイラク戦争の大義名分に利用したというよりも、本当にあると思い込んでしまったことです。

インテリジェンスの教科書とされるマーク・M・ローエンタールの『インテリジェンス』（茂田宏監訳、慶應義塾大学出版会）が説くように、情報の収集・分析のプロセスと政策決定は分けて考えるのが基本です。

ポンペオ国務長官による新型コロナ人為説は、トランプ政権末期の中国観に引きずられるかたちで、情報が歪められた可能性があります。あるいはポンペオ氏が二〇二四年の大統領選挙への出馬を念頭に、国民受けを狙って黄禍論を発したのかもしれない。

岡部　パンデミックの初期対応に失敗した日本

アメリカと同じく、日本も新型コロナの発生時に正しく情報収集したとは言い難い面があります。たとえば厚生労働省は二〇二〇年一月十六日、日本国内で初めて武漢市への渡航歴のある男性（神奈川県在住の三十代、中国籍）を新型コロナの陽性者として確認しました。あまりに遅すぎたといわざるをえない。

というのも、厚労省の発表に先立つ二〇一九年十二月に、武漢市の華南海鮮卸売市場が感染源と見られる「原因不明の肺炎」の存在や、市内病院への来訪者急増がすでに報じられていたからです。のちに米英の情報機関が、二〇一九年八月の時点で新型コロナの流行が始まっていた可能性を指摘しています。日本政府は当初、ウイルスの脅威をまったく認識しておらず、中国に近い隣国でありながら「情報戦」に大きく遅れをとっていた。今後のパンデミックや、生物テロなど有事への備えに大きな不安が残りました。

佐藤　同調圧力、相互監視という国民の地金が表れた

岡部さんのいうとおり、たしかに日本政府の情報の入手と分析は甘かった。端的な理由は、官邸から情報を集めよというオーダー（命令）が出ていなかったからだと思います。

ＷＨＯが新型コロナウイルスの「世界的な緊急事態」を宣言したのは、二〇二〇年一月三十日。にもかかわらず、当時の安倍政権が念頭に置いたのは、相変わらず東京オリンピック・パラリンピックや習近平国家主席の来日を滞りなく進めることでした。

与党の最大実力者である自民党の二階幹事長は、「中国と友好関係を保つ」という信念をもった人物です。二階氏の意に反する情報を上げにくい空気が政府に充満していたことは、容易に想像がつきます。だとすればアメリカと同様、政策決定と情報の収集・分析のプロセスを分けるインテリジェンスの原則を踏み外したことになります。ただし、政府が意図的に情報収集をサボタージュしたのではなく、何となくそうなってしまったのです。

あらためて検証すべきなのは、二〇二〇年一月三十一日開幕の「さっぽろ雪まつり」についてです。来場者に感染が相次ぎ、中国人観光客を通じた新型コロナ第一波の到来は明らかでした。ところが、当時の安倍政権が一度目の緊急事態宣言を出したのは約二カ月後の四月

七日であり、ロックダウンのような強制措置を供うものではなかった。インバウンド消費の冷え込みを恐れたことも一因でしょう。

また当時、「日本人には感染を軽減するファクター（要因）Xがある」などという非科学的な言説が流布しました。日本は特別だから強い行動規制は必要ないという雰囲気が生まれ、政府は「自粛のお願い」を続けることになった。行政が国民の同調圧力を利用して感染症対策を行なった国というのは、日本以外に見当たりません。

しかし同時に、政府の対応は日本人の国民性と合致した措置だったともいえる。私がそれをあらためて実感したのは、二〇二一年一月十六日に実施された大学入学共通テスト会場での事件です。マスクから鼻だけ出した男性が、監督者から試験の無効を通告されてトイレに立て籠もり、建造物不退去容疑で逮捕されたことが大きなニュースになりました。

だが、コロナ禍での大学入試という極度の緊張状態において、四〇万人以上の受験者のなかで騒ぎを起こす人間がほかにいなかった。この事実にこそ驚くべきでしょう。

鼻出しマスクの男をメディアがクローズアップしたのは、一種の社会的制裁だと思われます。「自粛警察」の言葉が広まったように、日本人は危機に直面するとスケープゴートをつくって叩き、集団の和を保つ傾向がある。同調圧力、相互監視という国民的特質の地金が表れてきたのが一連の現象です。

岡部　ビッグデータを集める中国

「国の地金が表れた」という点では、中国の隠蔽体質がまさにそうです。ビッグデータとハイテクの力で国民を監視して自由を縛り、抵抗する者に厳罰を下す強権手法で感染を封じ込めようとする。中国はいま、いち早く経済を再開して社会主義体制の優位を誇示しています。

この風潮に対し、フランスの経済学者・思想家のジャック・アタリ氏が「産経新聞」(二〇二〇年十二月三十一日付)のインタビューで次のように指摘しています。「独裁体制に付随する隠蔽体質が感染拡大を招いたのであり、中国は封じ込めの成功例ではない」。一党独裁の体制では世界の覇権は握れないということです。

習近平国家主席は個人の自由などお構いなく、現在は中国国家統計局が国連経済社会局(UNDESA)と組んで浙江省杭州市にビッグデータ研究所の設立を進めています。データの取得には本来、個人の同意が不可欠です。国民の合意を基礎とする民主主義・自由主義国家は、権威主義・全体主義国家に立ち向かわなければならない。中国、ロシアへの対応は、依然として日本の大きな課題です。

佐藤　ウイルスと共産主義の共通点

中国がウイルスの発生を隠蔽したことは事実です。他方、早期の封じ込めが成功したというのは、国内外へのプロパガンダだけとはいえないと思います。感染症対策では西欧諸国や日本のような自由主義国家より、中国のような全体主義国家のほうが強いのも事実だからです。

そのことを露骨なかたちで示したのが、北朝鮮です。二〇二一年一月五日から十二日まで、五年ぶりの朝鮮労働党の党大会が開催されました。約七〇〇〇人の関係者が一堂に会するなか、金正恩委員長をはじめ、誰もマスクをしていなかった。独裁国家のパフォーマンスと見る向きもあるけれども、実態は新型コロナ封じ込めに意外と成功しているのではないか。全体主義国家は、感染が疑わしい者を強制隔離できるからです。

戦前の日本では、一九二五年の治安維持法の制定以降、共産主義者であることが「疑わしい」人間を片っ端から逮捕し、取り調べだけでなく、予防拘禁も行ないました。

ウイルスと共産主義をアナロジカル（類推的）に捉えれば、「感染する」という共通点があります。現在の日本が戦前の大日本帝国やナチス・ドイツのようなファシズム国家であれば、新型コロナの封じ込めに成功するかもしれない。人権の侵害にあたるような感染症対策をとらないのは、自由に価値を置いているからです。

ただし、次のような視点もあります。エマニュエル・トッド氏は、新型コロナによる死亡者の割合は高齢者が高く、人口動態に影響が少ない。したがって、新型コロナによって世界が大きく変わることはないという見方を示しています（『エマニュエル・トッドの思考地図』大野舞訳、筑摩書房）。こうしたトッド氏の見方は、イスラエルの歴史学者ユヴァル・ノア・ハラリ氏の「どこであれ一国における感染症の拡大が、全人類を危険にさらす」（『緊急提言パンデミック　寄稿とインタビュー』柴田裕之訳、河出書房新社）という見方とは対照的です。

私がトッド氏の考え方のほうに傾くのは、一九九一年のソ連崩壊前後の社会的混乱を外交官として現地で経験したからかもしれない。ロシア最高会議ビルで激しい銃撃戦が起こり、街中を戦車が走る様子を目にしました。極度のインフレに見舞われ、人びとは明日をも知れぬ状態だった。当時に比べれば、新型コロナウイルスによる危機などとるに足らないともいえます。

また、ロシアは世界でもいち早く新型コロナウイルスのワクチン接種を始めた国です。しかし国民の多くは接種を望まず、感染よりもワクチンの副作用を恐れている。無理もないと感じるのは、プーチン大統領自身がワクチン接種は六十歳までという基準があるという理由でワクチンを打たないからです。報道官は、大統領を実験台に使うわけにはいかないという。

仮に菅首相のスポークスマンが「菅首相を実験台に使うわけにはいかない」といったなら、支持率が一気に落ちて政権基盤が揺らぐでしょう。ロシアの国民がプーチン政権に怒らないのは、ソ連時代に比べれば、いきなり投獄されて殺されるようなことがないだけマシだと考えているからでしょう。

ロシアや中国のような権威主義国家とは、たしかに日本人は皮膚感覚のレベルにおいて付き合いにくい。その半面、どれほど混迷を深めていても、民主主義の体制をとるアメリカは中ロより信頼できる。だから、「日米同盟を基調とする以外に選択肢はない」という結論に至るわけです。

岡部　敵基地攻撃能力を備えよ

民主主義体制の将来を占ううえで外せないのが、香港と台湾の行方です。現在、「香港の統制を強化して奪還した中国が、次に狙うのは台湾である」というのが衆目の一致するところでしょう。

アメリカ議会の諮問機関「米中経済安全保障調査委員会」は二〇二〇年十二月、最新の中国勢力をめぐる分析と提言をまとめた年次報告書を公表しました。同委員会は「中国が台湾統一への軍事的圧力を強めている」として、アメリカの議会に新たな措置を提言しました。台湾海峡危機こそ、日米同盟が想定する最大の有事といえます。

さらに北朝鮮を見れば、党総書記の肩書きを復活させた金正恩が核ミサイル開発を加速させている。北朝鮮はいま、発射後に軌道を不規則に変えるロシア製のイスカンデルタイプに類似した短距離弾道ミサイルを開発中です。ロシア軍や中国軍でも迎撃が難しいといわれる兵器で、日本を取り巻く安全保障環境が急速に悪化している。イージス・アショアのように飛来してきたミサイルを撃ち落とす「拒否的抑止力」だけではなく、「日本にミサイルを撃てば反撃される」と思わせる「懲罰的抑止力」が必要です。

日本はこれまで「盾」の役割に徹して、アメリカに「矛」の役割を依存してきました。力による現状変更を試みる習近平の中国に対しては、今後、日本への攻撃を抑止させるメッセージが必要です。敵基地攻撃能力を備えた軍事力の強化はまさに喫緊の課題といえるでしょう。

佐藤　「山の国」台湾侵攻で想定される事態

敵基地攻撃能力については、二〇二〇年十二月十八日に菅政権が「スタンド・オフ・ミサイル」（長距離巡航ミサイル）の自国開発を閣議決定したことでほぼ解決したといってよい。北朝鮮全域が射程圏内に入ります。

また、日本外交の基本は「仮想敵国をもたない」ことです。敵基地という言葉自体が、日本の安全保障政策には馴染まない。そこで菅政権は、周辺諸国に警戒される表現を避けてスタンド・オフ・ミサイルによる実質的な抑止力の強化をとったわけです。しかも国産であれば、国内の産業振興にもつながる。賢明な判断といってよいでしょう。

台湾海峡危機については、台湾は南北に背骨のように山脈が走る「山の国」です。したがって、台湾海峡側から上陸するだけでは全土を制圧できない。中国から見て、山脈の裏側から上陸して占領するには、日本の最西端、先島諸島《さきしま》の与那国島を制圧しておく必要があります。しかし与那国島には陸上自衛隊が駐屯地を開設しており、沿岸監視隊を配備している。

その与那国島を制圧して維持するには、さらに先島諸島の宮古、石垣両島を確保する必要がある。これらの海域と島々における自衛隊と中国陸海軍との戦いを戦記小説の体裁でシミュレーションしたのが、防衛大学校出身で潜水艦艦長などを務めた中村秀樹氏の『尖閣諸島沖海戦』（潮書房光人新社）です。

すなわち、台湾侵攻は日中の大規模な武力衝突につながるわけで、習近平主席が日本との戦争を覚悟してまで台湾侵攻を決断するか。現実にはまだ、そこまで肚《はら》を固めてはいないと思いますが、日本はあらゆるインテリジェンスと外交的手段を通じて、未然にそれを防がなくてはならない。

岡部　心配なドイツの独自路線

一つ、不吉な予兆かもしれないといえるのが、二〇二〇年十二月三十日、ＥＵが中国と七年近くかけた投資協定の交渉で大枠合意したことです。

合意の直前には、アメリカのバイデン次期政権が対中政策で足並みを揃えるようEUに警告していました。折しも新疆ウイグル自治区の強制労働など人権問題が叫ばれたタイミングで、EU諸国の意思も対中合意で統一されていたわけではなかった。

ところが、十四年に一度のEU議長国を務めるドイツのメルケル首相に押し切られる格好で、中国との合意に至ってしまったのです。背景として、ドイツ経済の深い対中依存に加え、旧東ドイツ出身であるメルケル首相と共産主義の親和性が指摘されています。中国からすれば、対中政策でバイデン政権の腰が定まらないうちに、米欧関係に楔《くさび》を打つことにまんまと成功したわけです。

その一方で、ドイツは安全保障では、フランスと同様に二〇二一年にインド太平洋地域にフリゲート艦を派遣する計画を進めており、中国を牽制する構えを見せています。とはいえ、ドイツの政策は中国に厳格な姿勢で臨む米英やオーストラリアなど、アングロ・サクソン諸国と比べて明らかに温度差を感じます。西側各国の歩調がドイツの独自路線によって乱れることは、中国、ロシアの権威主義国家につけ入る隙を与えかねません。

昭和日本の分岐点の一つとなったのが、一九三七年七月、北京郊外の盧《ろ》溝橋《こうきょう》における日本軍と中国国民革命軍との武力衝突でした。この盧溝橋事件をきっかけに、日本と中華民国は全面的な戦争状態へと至ります。当時、蔣介石率いる中国国民革命軍に武器援助や軍事指導を行なっていたのが、前年の三六年に日本と防共協定を結んだばかりのナチス・ドイツでした。ヒトラーの「二重外交」に苦しめられたことは、昭和日本の苦い教訓です。

佐藤　日米離間こそ最悪のシナリオ

現在のドイツが中国との投資協定に前のめりになるのは、ほかに有力な投資先が見つからないことも大きいでしょう。コロナ禍にもかかわらず、二〇二〇年の中国のGDP（国内総生産）は、主要国で唯一のプラスを記録しました。ドイツの選択が、二〇二一年秋に退任予定のメルケル首相による属人的な問題なのか、ドイツの国家的な暴走なのか、見極めが肝心です。

エマニュエル・トッド氏は、日本が国際社会で大国になる意思をもたないように見えるのに対し、ドイツは再び大国になることを諦めていない国であると述べています。たとえば、両国の違いの一つは、移民の受け入れ方にあるという。日本が移民を受け入れず、外の世界とは遮断して平和に長い時間を過ごしてきた一方、ドイツは移民を受け入れることで、人口を維持してきました（前出、『大分断』）。

ドイツが権威主義の中国との提携を厭《いと》わないのも、まさに世界大国になることを志向しているからではないでしょうか。アメリカ主導の国際秩序から脱しようとしている点で、ドイツと中国は波長が合う。日本は今後、ドイツからの投資でさらに力をつけた中国と対峙することになります。

さらに警戒しなければいけないのは、新型コロナの蔓延によってアメリカ国内で広まりつつある黄禍論の矛先が中国だけではなく、日本にも向かうことです。日露戦争や第一次世界大戦期、日本を貶めるプロパガンダとして当時のロシア帝国やドイツ帝国が黄禍論を欧米に広めたのは、わずか百年前のことだった。米中対立よりも日米離間こそ、日本にとって最悪のシナリオです。

私が反米論者に対して強い違和感を禁じえないのは、日米同盟の毀損《きそん》が日本に与える不利益について、真面目に考察しているとは思えないからです。「日米同盟が生存の要《かなめ》である」という戦略軸からは決して外れてはいけません。

第5章　この国の未来を教育に託す

2021年1月、大学入試センター試験に代わり、初めて行なわれた大学入学共通テスト（東京大学、写真提供：時事通信）

教育改革を「政争の具」にする愚かさ

佐藤　防諜の重要性を教えるイギリスの「教育番組」

イギリスの国家インテリジェンスの興味深い点の一つは、いまでも新聞の事前検閲制度があることです。なおかつ検閲した箇所を伏せ字や白ページにすることを禁じており、どの情報を消去、隠蔽したのか、国民にわからない仕組みになっています。ただし、政府の検閲は本当に公開を危険だと判断した情報にしか適用されません。それにより、政府とメディアとのあいだで緊張関係が保たれている。

他方で、国民のインテリジェンス能力を高める「教育番組」として制作されたのが、BBCの番組「スプークス」です。MI5を舞台としたテレビドラマで、二〇〇二年から一一年まで長年にわたり放映されました。日本でもDVD化（邦題『MI-5 英国機密諜報部』）されており、アマゾンプライムでも一部視聴が可能です。

本作の目的は、二〇〇一年のアメリカ同時多発テロを受け、国民にカウンター・インテリジェンス（防諜）の重要性を知らしめることでした。登場する情報員のなかには不倫をする者や金銭を流用する者、あるいは潜在敵国のロシアに通じる者もいる。さまざまな人間模様を描き、防諜の世界を伝える演出が巧みに織り込まれています。

過激化するアニマルライツ（動物の権利）保護運動や中絶反対運動の危険性に警鐘を鳴らすなど、時代を先取りする面もあり、ドラマで使われる盗聴や監視、偽装の手法は、実際にインテリジェンスの現場で行なわれているものでした。まさに「インテリジェンスの教科書」といえるでしょう。

イギリスの「スプークス」に比肩《ひけん》するような「教材」は、日本ではちょっと思いつかない。逆に国民をミスリードすると思うのは、二〇一九年公開の映画「新聞記者」です。若い女性記者と内閣情報調査室に勤める若手官僚の対峙や葛藤を描く社会派サスペンスとの触れ込みでしたが、内容が現実離れしている。

まず現実の内閣情報調査室には、「新聞記者」に出てくるような尾行要員はいません。人員も予算も少なく、この映画のように内調職員がインターネットをチェックして情報操作を書き込む暇などない。内閣情報調査室はあくまでも少数精鋭の頭脳集団です。「新聞記者」のように江戸時代の岡っ引きよろしく足で駆け回る存在として描くのは事実誤認で、インテリジェンスの何たるかを知るうえでは有害でしかありません。

岡部　「スパイゲーム」をして遊ぶイギリスの子供

「スプークス」のシリーズは、私が二〇一五年十二月に産経新聞社ロンドン支局長としてイギリスに赴任する際、佐藤さんの勧めですべて観ました。物語のなかにヒューミントやシギント（電子信号の傍受による情報活動の総称）、潜入捜査などの具体的な手口に加え、MI5内の主導権争い、MI6との権力闘争がふんだんに散りばめられており、じつにリアルで教育的です。

とくに私が注目したのは、移民に関するテーマです。増え続けるヨーロッパからの移民労働者の入国制限を訴える国家主義者が、裏で移民たちによる暴動を操《あやつ》り、移民反対のキャンペーンを煽る。移民排斥《はいせき》をめぐる「スプークス」の描写は、ブレグジットを決めた二〇一六年の国民投票時の状況と酷似していました。移民をルーツとするホームグロウン（自国育ち）のイスラム過激主義者による自爆テロと合わせて、十年前のドラマが目の前で再現されているような錯覚に陥ったほどです。

情報工作やスパイというと、日本ではどこか後ろめたいイメージがあります。しかし、このドラマではスパイを「（国家のために）見えないものを見る仕事」としてポジティブに捉えています。ＭＩ６所属のジェームズ・ボンドが活躍する「００７」シリーズの人気に象徴されるように、イギリス国民は「諜報員は知的プロフェッショナルが国のために就《つ》く仕事」という肯定的なイメージをもっているようです。

そのことを私が実感したのは当時、イギリスで現地のプレップスクール（後述のパブリック・スクールに入る準備のための私立小学校）に通っていた息子が、クラスで「スパイゲーム」をして遊んでいたことでした。たとえば、教師が「I spy with my little eye something beginning with "A".（私はAで始まるものを見つけました）」といって、生徒がそのAで始まるものの答えを考えて探すゲームです。見つけた生徒は、今度は他の生徒に「見つけたもの」を質問する「主役」の側になれる。

イギリスの子供たちはゲームを通じ、「spy」とは「頭」を使って何かを見つけ、探し出すという意味だと自然と学ぶわけです。スパイは知恵をもつ者が就く職業であり、格好いいクールな存在であると認識されているのです。

佐藤　実現しなかった現職外交官の語学試験

国民のインテリジェンス能力を測るうえで、語学がその基礎に当たるのはいうまでもありません。ところが近年、日本の外務省の語学力が急速に落ちています。

たとえば二〇二〇年一月、モスクワ郊外の大統領公邸で行なわれた北村滋（国家安全保障局長）・プーチン会談における日本側の通訳のロシア語は、あまり上手でなかった。あえて日本語で表すと、「あんがとさん、今回は接見してくださって」とでもいうような言葉遣いでした。キャリア官僚の語学力が著しく低下した結果、通訳を担当するノンキャリアの誤訳や不適切な表現もチェックできなくなってしまった。

外務省の語学力低下の原因は、二〇〇一年度を最後にいわゆる外交官試験を廃止（国家公務員採用総合職試験に統合）したことが大きいと私は見ています。この問題について二〇一四年九月、外務副大臣に就任した外務省出身の城内実《きうちみのる》さんから電話で相談を受けたことがあります。

私は韓国の外交部（日本の外務省に相当）に倣って三年に一度、語学試験を課す制度を提案しました。具体的には、テストで一定の成績をクリアしないと昇進もできず、在外公館にも出られないようにする。対象は課長級までの外交官のみとし、幹部クラスの指定職は外さもないと、省を挙げての反対が目に見えていたからです。

それでも案の定、省内の猛抵抗に遭って現職外交官に対する語学試験は実現しなかった。その代わり、国家公務員採用総合職試験の合格者を外務省に入れるにあたって、ＴＯＥＦＬｉＢＴのスコアを申請させることになりました。

外務省が望むレベルは一〇〇点以上ですが、基準をクリアする人は三分の一程度しかいないのが実態です。外交官の英語力は落ちていると考えるほかなく、危機的な状況です。

メディアが日本の外交官に対していくら「尊大だ」「国民の感覚とずれている」と批判したところで、あの人たちは屁とも思わないでしょう。でも「語学ができない」と指摘すれば、本気で怒るのではないか。外交官として使い物にならないと告げているのに等しいからです。人間は真実を指摘されると激怒するものですが、日本の国益に比べたら、外務官僚の歪《ゆが》んだ自尊心などとるに足りない。

岡部　日中イギリス大使「舌戦」の結末

私もロンドン赴任中、日本の外交官の語学力の低下を痛感する経験が何度かありました。

ロンドンには、旧ソ連時代からバルト三国が米国ワシントンとともに大使館を開館して外交活動を続けています。三国のうち、ある国の大使と親しくなり、「日本とインテリジェンスの情報共有（交換）をしたい」と相談を受けたことがありました。そこで日本大使館の若手外交官を紹介したのですが、関係が築けませんでした。大使に理由を聞くと、「コミュニケーションがとれなかった」といわれ、大きなショックを受けました。

バルト三国の外交官は母国語のほかに英語やロシア語、ドイツ語など多言語を流暢《りゅうちょう》に話すのが普通です。ロシアやドイツといった大国に翻弄された歴史をもつバルト三国は、国際社会の荒波を生き抜く知恵、日本にとって有益な情報をもっています。

ところが日本の外交官に、世界標準のインテリジェンスを集める力がない。英語以外の言語が専門の若手外交官から「英語が苦手だから協力してほしい」と真顔でいわれ、啞然としたこともあります。いったい日本の未来はどうなるのか、と暗澹《あんたん》たる気持ちになりました。英語は語学の基本であり、英語が話せなければ外交官失格といっても過言ではありません。

ましてイギリス勤務の外交官なら、業務に不自由しない程度の英語はマスターしていてほしい。

その点、中国は世界有数の英語メディアが揃うイギリスを対外宣伝の拠点と捉えています。ロンドンには劉暁明という抜群の英語遣いを二〇〇九年から大使に据えて、北京の共産党政権の意向を世界へ発信することに注力しています。

その劉大使が日本に刃《やいば》を向けたことがありました。二〇一三年十二月二十六日、安倍首相が靖国神社を参拝したことについて、翌一四年一月一日付の「デイリー・テレグラフ」に「軍国主義が日本につきまとうヴォルデモート卿（人気小説『ハリー・ポッター』に登場する闇の帝王）だとすれば、靖国神社は日本の魂のもっとも暗い部分を隠した『分霊箱』だ」と寄稿したのです。

「分霊箱」（Horcrux）というのは、ヴォルデモート卿が邪悪な魔法で不死の力を得るために自分の魂を分割し、その断片を入れておく箱です。劉大使は、安倍首相の靖国参拝をイギリス人なら誰でも知る『ハリー・ポッター』の悪役にたとえて批難し、日本のイメージを貶めようとしました。

この糾弾に対し、日本の林景一駐英大使は同紙に寄稿して「中国こそアジアのヴォルデモート卿になる恐れ」と反論しました。「中国の前には二本の道がある」とし、一つは「対話」、もう一つは「軍拡競争と緊張激化という悪を解き放つことで、ヴォルデモート卿の役回りを演じる」と指摘し、中国に自制を促しました。

靖国参拝のような歴史認識に関するテーマで黙して耐えるだけでなく、果敢に反撃したことは評価してよいでしょう。しかし、その後、BBCに舞台を移して展開された両大使の「舌戦《ぜっせん》」で、残念な結末が待ち受けていました。

両大使は別々のスタジオでインタビューを受けていて、直接、論戦することはなかったのですが、林大使はイギリス人司会者の「地域や世界全体を危険に陥れるほどの価値が尖閣諸島にあるのですか?」などの難癖に近い質問に対し、日本語訛《なま》りのイントネーションでなんとか答えたものの、視聴者には林大使の英語が聞き取りづらく、防戦一方に見えたようでした。

対する劉大使は、ネイティブ並みの発音で「歴史から教訓を学ばぬ者は、過《あやま》ちを繰り返して滅びる」というチャーチル首相の言葉を引用しました。「日本は愚かにも、第二次世界大戦後の国際秩序を覆して軍国主義の道を再び歩もうと目論んでいる」と、重ねて安倍首相の靖国参拝を批判したのです。

ＢＢＣの視聴者からは「劉大使の完勝だ」という反応が圧倒的でした。さらに放送後、イギリスの大衆紙「エクスプレス」が「劉大使は安倍首相の靖国参拝を批判し、それが日本の軍国主義復活のシグナルだと主張した」と報じました。両大使の情報戦を機に、軍国主義の復活というありもしない日本のイメージがイギリスで拡散されてしまったことは痛恨《つうこん》の極みでした。

この状況は二〇一六年四月、外務省きっての英語の達人とされる鶴岡公二大使が就任するまで続きます。鶴岡大使の着任以来、劉大使の反日プロパガンダは沙汰《さた》止《や》みになりました。

佐藤　日本の教育改革における素人談義の滑稽さ

国家としてのインテリジェンスの力は結局、語学を含む国民の教育レベルに左右されるしかありません。情報をいくら集めても、それを使いこなす知性や教養が当人になければ役に立たない。国民の教育水準が下がると、偏見やデマ情報だけが集まる恐れがあります。

日本で反知性的なヘイト本（中国や韓国に対するバッシング本）が溢れるのも、そういう本を買う人が多いからです。教養をつけることを怠ったツケがこういうかたちで現れています。

ヘイト本が増加した背景には、本好きではない者が出版社に増えたことも関係しています。有名大学の出身者が、「何となく知的で給料も高そう」という動機でコンサル業やＩＴ業界と併せて出版社を志望し、入社する。こういう人たちは情報処理能力や記憶力だけは高いので、ヘイト本が当たるとわかれば勢いに任せて量産する。半面、自分で仕事の幅を狭めているので学習や成長の機会がありません。こうしてメディアから真っ当な議論が消え、社会が極論に振れるわけです。

民主主義の先進国と思えるイギリスでも、極論に走る場合がある。イスラエルの歴史学者ユヴァル・ノア・ハラリ氏は、著書『21 Lessons』（柴田裕之訳、河出書房新社）でイギリスの生物学者リチャード・ドーキンス氏の言葉を引用し、民主主義の機能不全に警鐘を鳴らしています。

「アインシュタインが代数学的な処理をきちんとこなしていたかどうかを全国的な投票を行なって決めたり、パイロットがどの滑走路に着陸するかを乗客に投票させたりするようなものだ」

ドーキンス氏は自分も含め、ブレグジットを国民投票で決めたことに不満を抱いており、一般大衆は判断に必要とされる経済学と政治学の予備知識を欠いているからだ、という。

これは、日本の大学入試に関する議論と似ています。二〇二〇年度（二〇二一年一月）から、大学入試センター試験に代わり新しく導入された大学入学共通テストが、与野党の「政争の具」になりました。たとえば、英語のヒアリングテストに次いで国語と数学の記述式問題が問題になり、野党は「公平な採点ができない」と反発し、採用が見送られました。

しかし、本当の問題は「二〇字以内」「四〇字以内」という出題形式のほうだったはずです。たかだか数十字程度で回答者の記述力が判定できるのか。採点者が採点しやすいようにと、従来の偏差値教育の延長線上で記述式試験を導入するのであれば、本末転倒でしょう。「読む・聞く・話す・書く」を採点する民間試験の導入の是非について、教育改革の専門知識がない議員が国会で展開する素人談義には、滑稽《こっけい》さを覚えました。

国会で政治家が議論すべきなのは、英語力や数学の証明力、論理的思考や記述の力の強化をいかに教育政策にするかです。技術的な落とし込みは専門家に任せればよい。

岡部　「グローバル人材の育成」の方針は正しい

　私が違和感を覚えるのは、日本の教育改革が産業界主導で進められてきた点です。教育の本義は「人間を育てる」ことにあります。にもかかわらず、「産業競争力の強化」を目標としたところに、迷走の出発点があったのではないでしょうか。

　大学入学共通テストの英語の民間試験導入が見送られたことに象徴されるように、試験の公平性という技術論の部分も、佐藤さんがおっしゃるように専門家の慎重な検討や議論が必要だったと思います。

　とはいえ、「読む・聞く・話す・書く」力を問う教育改革の方向性自体は間違っていません。グローバル化が進む現在、文部科学省が打ち出した小学校から英語教育を始める「グローバル人材の育成」の方針は正しいと思います。

　ロンドン赴任中、スウェーデンのストックホルムで行なわれたノーベル賞授賞式を何度も取材しましたが、日本人受賞者の英語によるスピーチは現地でたいへん不評でした。このような反応は日本では報じられませんが、英語圏外のほかの受賞者は流暢なスピーチをしていただけに、残念でなりません。

英語の早期教育については、昔から「国語力の強化が先」「外国語にかまけて教養が身につかない」という反論があります。しかし、先に挙げたバルト三国や北欧などの大使たちは、たんに複数の言語を使いこなすだけでなく、教養も一流で人間的にも尊敬できる人物ばかりでした。日本人も環境さえ整えば、幼いころから複数の言語に接し、習得することは十分に可能でしょう。

再び息子の例で恐縮ですが、彼は四歳で渡英した際、前述のロンドンのプレップスクールに通いました。授業はすべて英語でしたが、自宅で私が日本語を教えて英語・日本語両方の習得をめざしました。日本人は私の息子だけで、最初は厳しい環境でしたが、熱心な先生たちの指導のおかげで英語は短期間で上達し、友達も大勢できました。

二〇一九年四月、七歳で日本に本帰国し、日本の小学校に通いながら、英語力を維持するため、毎週土曜日に「海外子女教育振興財団」の外国語保持教室と、帰国子女を対象にした民間の英語塾に通わせています。イギリスの学校と同じ内容の英語を学び、小学二年生の八歳で英検二級を取得しました。英検だけが英語力を向上させるツールではありませんが、これからも目的をもって楽しみながら勉強してもらおうと、一級をパスできるよう取り組ませるつもりです。

息子の例は特殊といえばそれまでかもしれませんが、少なくとも大学受験をゴールにした従来の英語教育とはまったく異なります。日本でも近年、徐々に会話重視の方向に向かっていますが、中途半端にやっても効果は薄い。受験勉強で燃え尽きてしまい、大学入学後に勉強をしなくなるのも問題です。

佐藤　センター試験に依存してきた私立大学の罪

可哀想なのは、偏差値によって輪切りにされた学生です。多くの若者が「第一志望に入れなかった」という劣等感に苛《さいな》まれたまま、学生生活を送ることになる。

私は現在、母校の同志社大学で神学の講義を担当していますが、第一志望の大学に入れたか否かは、勉強への意欲に大きな影響を与えます。センター試験の受験者は国公立が第一志望なので、センター利用で私大に入るのは第一志望に落ちた人がほとんどでした。慶應義塾大学の場合、センター試験に参加していません。早稲田大学や同志社大学はセンター試験での合格者を絞り込んで、一般入試を重視してきた。

また、早稲田、慶應、同志社などの私大では、独自の記述式試験もしくは選択式と記述式を併用した試験を採用しています。同志社は同大学に特化した記述式の試験を課し、京都大学の「滑り止め」にされないように工夫してきました。

私立大学にとって従来のセンター試験が「麻薬」だったのは、受験料を上乗せしてとっていたからです。たとえば、三教科以上の場合、一万七〇〇〇円くらいの受験料をとるところが多いのですが、大学からセンターに収める手数料は五七〇〇円程度。受験生一人当たり一万六四三〇円が大学の収入になります。一万人が受験したら、一億六四三〇万円です。

受験料目当てでセンター試験に依存する私立大学のなかには、二次試験の作問を予備校に丸投げするところもありました。作問の工夫で第一志望の学生を集めようとせず、結果として国立大学に落ちた覇気のない学生が集まり、講義も沈滞していく。充実した学生生活が送れないまま時を浪費して就職活動も失敗する、という悪循環に陥っています。

日本が危機から脱するには、時間をかけて教養や知性を得るための教育改革に本腰を入れて取り組むしかない。私も微力ながら、生涯の残りの時間を若者の教育に捧げたいと考えています。

社会の多様性を学ぶ意味

岡部　イギリス発祥のアクティブ・ラーニング

国家の命運を決するのは、まさにその国の教育力にほかなりません。そこでイギリスと比較しながら、日本の教育の課題について話し合いたいと思います。

現在、文部科学省が進める教育改革の一つに「アクティブ・ラーニング」の導入が挙げられます。アクティブ・ラーニングとは、生徒が教師から一方的に教わるパッシブ（受動的）な学習法ではなく、生徒のアクティブ（能動的）な参加を促す学習法です。

このアクティブ・ラーニング発祥の地といわれる国が、イギリスです。正式には一九九三年、学習向上プロジェクトの一環として参加型の授業が始まりました。生徒同士が話し合い、コミュニケーション・スキルと「自分の力で考える」力を養うモデルが定着しています。

私は産経新聞社ロンドン支局長として在任中、長男が通うプレップスクールでアクティブ・ラーニングを目の当たりにしました。先生の話を聞くだけではなく、子供たちが自らディスカッションを行なっていました。歌やゲーム、テレビを見るなど、自由なカリキュラムも多く、受け身の授業スタイルに慣れた日本人からすると、勉強のようには見えませんでした。教科書もなく、配付されるプリントをもとに自学自習の精神で学習している。

とりわけユニークなのが、クリティカル・シンキング（批判的思考）を養う討論型の学習です。長男の通う小学校では、生徒同士が一つの課題について話し合う時間が頻繁にありました。自分の意見が他人から批判され、かつ他人の意見を批判的に観察する機会を、初等教育から得られるのです。

重要なのは、他人の考えをなぞってはならないということでした。クラスメイトの意見を真似すると、すぐさま「コピーしている」と指摘が入ります。したがって、絶えず独創的なアイデアを出さなければいけない。意見の表明が遅れるのも駄目なので、スピーディに自分の考えをまとめる習慣が身につきます。英語以外の母国語の生徒も積極的に手を挙げ、自分の意見をアピールしていました。

イギリスでは、このような環境で小学校から他人の意見に対して疑問を抱き、批判や反論をする訓練を重ねています。イギリス人はよく批判的思考とプレゼンテーションが巧みだといわれます。息子の教育を通じて、イギリス国民の秘密を垣間見た気がしました。

とくに長男にとって「試練の時」だったのが、毎週一回、授業中に行なわれる「ショー・アンド・テル」の時間。クラスで約一〇人の生徒が自分の好きな本や玩具、おやつなどを持参し、「好きな理由」を五分程度で説明するものです。いかに多くの生徒から納得（賛同）を得られるかを競うプレゼンテーションで、子供同士の世界でも説得力が求められます。

長男は毎回、プレゼンの前夜からシナリオを練り、予行演習に没頭していました。いざ発表の場になると、日ごろのアクティブ・ラーニングで培《つちか》った批判精神が旺盛《おうせい》な子が、容赦なく意地悪な質問を浴びせてくる。それらに感情を抑えて反論しながら、自分の主張を多くの聴き手に論理的に伝え、時には、日本のよさもアピールしなければならない。多様性のある環境のなかで論理性や表現力を磨くと同時に、日本人としてのアイデンティティが養われたように思います。

また歴史の授業では、クリミア戦争（一八五三〜五六年）で活躍した看護師フローレンス・ナイチンゲールを教材に取り上げていました。それも座学ではなく、ロンドン市内のセント・トーマス病院内にあるナイチンゲール博物館へ見学に連れていくのです。

ナイチンゲールは看護師の仕事のみならず、統計学に基づく医療衛生改革を成し遂げたイギリスの国民的英雄でした。「戦場の天使」と呼ばれ、砲火のもとで敵味方の隔《へだ》てなく負傷兵の看護に当たりました。彼女を題材に選んだのは、第二次世界大戦時にイギリスと干戈《かんか》を交えたドイツやイタリア、日本出身の子供を傷つけないようにする国際的配慮もあったのでしょう。

こうした参加型のアクティブ・ラーニングに加え、私がイギリスで興味深く感じたのは、楽器を学び、音楽を学問として扱う学習の習慣です。長男が通った小学校では、トランペットやフルート、ヴィオラ、ギター、パーカッションに至るまで、多種多様な楽器のレッスンがありました。どの生徒も必ず一つは楽器をマスターできるように、課外授業が組まれている。バイオリンを選択した長男には、学校でのカリキュラムのほかに地区から音楽の教師が派遣され、リーズナブルに個人レッスンを受けられました。

イギリスにおける全国共通の能力試験に、ＧＣＳＥ（中等教育修了一般資格試験、十六歳で受験）があります。ＧＣＳＥの結果は大学受験にも影響しますが、試験の選択科目には音楽や演劇が含まれている。音楽の試験には作曲技法や音楽史の問題もあり、高度かつ学術的な理解が求められます。ＧＣＳＥに対応する基礎知識や能力をつけるため、初等教育から音楽を学ぶ環境が整えられているのです。

以前インタビューしたインテリジェンス・オフィサー（情報士官）の一人は、ケンブリッジ大学に在学中の大戦期からおよそ七十年にわたり、政府通信本部（ＧＣＨＱ）で日本語からアラビア語まで難解な言語の暗号解読に携わっていました。彼いわく、イギリスの教養人は楽器が弾けなければならない。私の長男がバイオリンに熱中していることを話すと、「紳士の嗜《たしな》みとしてぜひ続けさせてほしい」といいました。

ところが、日本に帰国してからはどうしても学校の宿題や塾の課題に追われ、バイオリンを弾く時間がなかなか確保できない。イギリスとの慣習の違いから、せっかく学んだバイオリンを忘れてしまうのではないかと感じ、よい音楽教師を探しているところです。

佐藤　英語と数学力がなぜ弱くなってしまうのか

「自分の意見を出し、他人の意見をコピーしない」というアクティブ・ラーニングは効果的な教育法です。その一方で初等、中等教育に関していえば、アメリカを除き、ヨーロッパも中国も日本も、トップ校が行なっている教育はそれほど変わりません。

日本で偏差値が七三以上、上位一％の学生が通うような開成や灘、麻布、武蔵など私立の中高一貫校のレベルは、イギリスの名門校と比べても遜色《そんしょく》ない。公立校でも京都市立堀川高校のように、約二十年前からアクティブ・ラーニングをとり入れているところがあります。

よく「知識の詰め込み」が批判されますが、詰め込みは必須です。アクティブ・ラーニングの前提となるのは広い知識や教養であり、日本がイギリスより優れている面もあります。

むしろ危ないのは、「暗記ばかりの大学受験は馬鹿らしい」と考えて地頭のよい生徒が受験勉強を放棄してしまうことです。将来の選択肢を担保するうえで、詰め込み教育を頭から否定するのは本人にとってもプラスになりません。

詰め込みの弊害として挙げられるのは英語で、「日本の子供は英語を学んでも話せない」といわれます。しかし英語ができない理由は簡単で、途中でやめてしまうからです。幼いころから英語の塾に通っても、小学四年生あたりから中学受験の勉強が始まると他の科目に集中し、英語を忘れてしまう。理由は受験科目に英語がなく、無駄な時間を割かないように大手の学習塾が指導しているためです。結局、中学一年生から学び直しになる。

日本人でも幼いころから英語を学び続ければ、きれいな発音で話せるようになります。優秀な子供なら、中学卒業までに英検準一級をとれるでしょう。準一級であれば、東大や一橋大に合格できるだけの英語力は身につきます。

つまり、語学の習得に必要なのは、あくまで継続的学習なのです。大学に入ってから多少勉強したところで、国際社会で使えるレベルにまで上達することはありません。

ちなみに私は、外交官時代に一九九六年から六年間、東大の教養学部で民族問題を教えたことがあります。開成や武蔵の卒業生のなかには、ほとんど受験勉強をしないで東大に入った学生がいました。つまり、日本のエリート校では十二歳の中学受験の時点で、すでに東大の講義に適応できる記憶力と情報処理能力の持ち主が集まっている、ということです。最初からスペックが違う頭脳の持ち主には、世に流布《るふ》されている「勉強法」など不要です。教科書と参考書さえあれば全部、自分一人で理解できてしまう。私が見たところ、東大に現役で入る学生の半分は、このタイプです。

残りは、東大受験にかなりエネルギーを割いて入ってきた学生です。講義についていけず、脱落する学生も少なくない。成績で専攻を振り分ける「進振り」の際、志望する学科に進めなかった学生が、一生コンプレックスを抱えたまま燃え尽きてしまう例もあります。

東大や医学部への進学率を無理やり上げようとする中高一貫校の一部には、「受験刑務所」と化しているところがあります。志望校に入るためのテクニックを叩き込まれた挙げ句、入試が終わると「刑期明け」の解放感に浸り、学習意欲を喪失してしまう。

とくに問題なのは、本人の希望や意志とは関係なく、受験に有利という理由で早くから文系、理系のコースを分けてしまう学校です。文系コースの生徒には数学や物理を放棄させ、国語や英語だけ学ばせる。他方、理系コースの生徒には歴史をまったく教えない。教育上、たいへん罪深い所業です。

社会人相手の講義で気づくのは、数学に苦手意識をもっている人が多いことです。多くの人が中学レベルの図形問題でつまずいてしまう。大学で経済学のテキストを読みこなすには、高校レベルの数学が不可欠です。文系の志望者でも、極限・微分積分を扱う「数Ⅲ」レベルの数学力を身につけておくことが望ましい。中学レベルの問題が解けないのは論外で、論理的な思考力も期待できないといってよいでしょう。

先ほど日本のトップレベルの教育は世界と大差ないという話をしたけれども、例外は「数学」です。イギリスのエリートで、数学ができない人に会ったことがない。ＧＣＳＥでは英語、数学、科学がすべて必修科目になっていることに加え、オックスフォードやケンブリッジなど超一流大学の特徴は、「学部」ではなく「学群」システムをとっていることです。

たとえば、理系を専攻する学生であれば、理系の二科目に加えて文系が一科目、必修になる。生物学と物理学を専攻する学生も歴史や哲学、文学など一科目を学ぶようになります。逆に、文学と歴史学を専攻する学生も天文学や物理学、生物学などから一科目を学ぶ。日本では、筑波大学が「学群」制度を採用しています。

もう一つの違いとして、日本のエリートはトレンド（流行）に流されやすい。近年、名門大学生の就職希望先はコンサルティング会社や投資銀行が多い。高収入が動機ですが、就職してから十年もつ人は少ない。官僚にも、大学の同期に年収を聞いて「やってられるか」と辞表を出す若手がいます。でもはっきりいえば、そのような低い志で霞が関に行くべきではない。イギリスでは、行政官や外交官になった者は生涯、その道を貫くのが当たり前です。

岡部　偏向教育を改めたサッチャー政権

たしかに日本の初等、中等教育のレベルは世界的に見ても高い。戦後、「英国病」の長期停滞を経たイギリスが、国力再生の手本としたのは日本でした。子供たちが真剣に勉強する経済大国の姿に学び、経済界の要請に応じて抜本的な教育改革に取り組んだのが、一九七九年に誕生した保守党のサッチャー政権でした。

サッチャー以前の労働党政権は、インドやジャマイカなど旧植民地からの移民の支持を目当てに、大英帝国の歴史やキリスト教を否定する教育を行なっていました。サッチャーは労働党の偏向教育を改め、ナポレオン戦争における大英帝国の貢献や奴隷貿易廃止など、イギリス史の光の部分を学ばせました。結果、自国に誇りをもつ若者が増えたのです。

日本がイギリスの教育改革にもっとも見習うべきなのは、まさにこの点だと思います。佐藤さんが話されたように、エリートが誇りよりお金を求めるようでは教育の意味がありません。

またサッチャー政権は、全国共通のＧＣＳＥを導入して基礎学力の底上げを図りました。さらに地方教育当局の権限を緩和し、学校ごとにカリキュラムや学習手順を決められるようにしました。選択の自由を高めることで、教育現場に初めて競争原理が働いたのです。

佐藤　「高大接続ギャップ」の解消が最大の課題

イギリスの教科書は民間発行で日本と違って検定制度がなく、内容もバラエティに富んでいます。歴史の教科書を例にとれば、通史ではなく、特定の時代を重点的に記すテキストもあります。

明石書店から翻訳版が出ている『イギリスの歴史【帝国の衝撃】』は中学校向けの教科書で、

十六世紀から二十世紀半ばまでの帝国主義の歴史に焦点を当てています。先述のアクティブ・ラーニング的な編集がなされており、帝国統治時代と現在のイギリス社会の関係を多面的に考察できる内容になっている。

もう一つ、イギリスの教育が面白いのは、大学の学士課程は日本のように四年間ではなく、三年間が多いことです。日本の大学の一年分に相当する学力を、入学前から身につけさせておく教育カリキュラムになっている。

その意味で現在、日本の教育が抱える最大の課題は「高大接続ギャップ」です。高校卒業までに学ぶ内容と、大学入学後の学問レベルのあいだに深い溝がある。一部の超難関校を除けば、高大接続ギャップの解消に成功しているところは少ないといえます。

岡部　伝統的なパブリック・スクールの精神

二〇〇〇年代から日本に相次いで設立された全寮制の男子中高一貫校は、大学レベルの講義を先取りするカリキュラムや、教養の育成を謳《うた》い文句にしていました。

これらの学校が範としたのが、イギリスのパブリック・スクール（十三歳から十八歳の子供を教育する私立学校のなかで、トップ一〇％を構成するエリート校）です。パブリック・スクールの多くは寄宿制で寮内の上下関係が厳しく、ラグビーを筆頭にスポーツを通した教育に熱心です。

私のロンドン赴任時代に助手を務めてくれたロバート・パーサー氏は、一三八二年創設のイギリス最古のパブリック・スクール「ウィンチェスター・カレッジ」の卒業生です。

彼によると、ウィンチェスターのモットーは「礼儀が紳士をつくる」。紳士であるか否かは家柄や身なりではなく、礼節を守る気概や努力で決まる、という意味です。もっとも大事にされるのが、価値観や意見の異なる他者を受け入れること。これを涵養《かんよう》するのがまさにパブリック・スクールの場であり、アクティブ・ラーニングなのです。授業以外にもスポーツや寮生活など、あらゆる機会を通じて多様性の尊重を学びます。土曜日には通常のカリキュラム以外の課外授業があり、成績に関係なく歴史や文学を学んだおかげで、幅広い教養が身についたそうです。

ロバート氏が強調したのが、授業よりも、寮生活で級友との触れ合いや会話を通じて学んだことが現在の自分に影響を与えている、という点でした。寮内の規律は厳しく、たとえば一人がルールを破ると、連帯責任で全員が罰を受ける。パブリック・スクールで培った土壌が社会生活を送るバックボーン（背骨）になったそうです。

イギリスのパブリック・スクールに関してよく語られるのが「ノブレス・オブリージュ」の精神です。社会的身分の高い者は果たすべき義務と責任もいっそう重い。第一次、第二次世界大戦でパブリック・スクール出身の戦死者数がひときわ多かった、というのは有名な話です。

翻《ひるがえ》って、イギリスのパブリック・スクールを真似たはずの日本の全寮制男子校のなかには、将来のエリートが担うべき人間教育の部分を疎《おろそ》かにして、東大合格者数を競うような「受験塾」と化している節があるような気がしてなりません。

イギリスは日本と比べて社会格差が大きく、パブリック・スクールに通えるのは、家柄もよく裕福な家庭の子弟に限られます。日本ですべてを模倣するのはやはり無理があるといってよいでしょう。親の目が届かない寮内の世界には陰湿ないじめなど、負の側面もあります。また、近年ではロシアや中国などから富裕層の子供が入学し、伝統的な寮生活のしきたりが崩れているという指摘もあります。

佐藤　地域の名門公立高校は貴重な存在

イギリス型のパブリック・スクールが成り立つのは、エリートと大衆が分断された階級社会だからです。上流階層の世界がある一方、『ハマータウンの野郎ども』（ポール・ウィリス著、熊沢誠・山田潤訳、ちくま学芸文庫）で描かれたように、義務教育だけを終えた労働者階級のあいだには独自のカルチャーがある。イギリスの教育には階級が再生産されるような側面があって、これはドイツやフランスでも同じです。

ヨーロッパと比べれば、日本の社会階層はまだしもフラットです。そう考えると、小学校を出て即、中高一貫校や大学の付属校に行くのは、はたしてよいことなのか。イギリスほどではないにせよ、日本でエリート校に入るのは富裕層の子供が大半です。社会のなかに多様な人びとが存在することを知らずに長年、同質的集団で過ごした人が社会の指導層になったとき、何が起こるか。近年の官僚の不祥事を見ると、心配な面はあります。

日本の希望は、地方には比較的強力な私立校が少なく、地域の公立校に通う選択肢がまだ主流であること。とはいえ、公立高校も偏差値で輪切りにされるので、多様な集団のなかで過ごせるのは実質的に公立中学校が最後です。多感な少年・少女時代に、皮膚感覚で社会の多様性を知っておくことは、その後の人生にもプラスに働くでしょう。

地域の優秀な中学生が集まる地方の公立高校や、東京近郊でいえば、埼玉県の浦和、浦和一女や大宮、千葉県の千葉や船橋、神奈川県の横浜翠嵐、湘南といった公立名門高校は、知と人間力を兼ね備えたエリートを育てる場として、貴重な存在だと思います。

「大学の完成には二百年」新島襄の志と実践

岡部　個別指導を重んじるオックスフォード大学

イギリスの高等教育機関は毎年、世界中から四〇万人以上の留学生を受け入れており（日本の受け入れ数は約二三万人：二〇一九年）、同国の研究と教育が「教育大国」として国際的に高い評価を得ているのは周知のとおりです。

イギリスの高等教育専門誌『THE（Times Higher Education）』が二〇二〇年に発表した世界大学ランキングでは、イギリスのオックスフォード大学が五年連続で一位。日本の最高位は東京大学の三六位で、次が京都大学の五四位。トップ二〇〇のうち日本の大学は二校だけで、アメリカの五九校、イギリスの二九校、ドイツの二一校と比べると見劣りしてしまう。

では、彼我の差はどこにあるのでしょうか。世界最高位のオックスフォード大学を例にとれば、学生たちは日本の大学の「学科」に相当するデパートメント（department）と同時に、専門分野とは無関係の三九のカレッジ（college）のいずれかに所属します。

カレッジには学生寮とともに図書館やジムなどの運動施設も併設され、学友と寝食を共にすることで濃密な人間関係を築きます。ダイニング（食堂）では教員と学生が一緒に食事をする慣習があり、異なる学科の学生や教授との会話や議論を通じて、分野横断的に物事を考える機会になります。

また、学生数人に対して一人の割合で、フェローまたはチューターと呼ばれる指導教員が対面の個別指導（チュートリアル）を行ないます。専門分野に関し、八週間ある学期中に毎週、課題図書を読んでレポートを書き、一時間のチュートリアルに臨む。これを毎年三学期、卒業まで三年間、繰り返すわけです。

オックスフォード大学の個別指導の制度は、ライバルのケンブリッジ大学でも採用されていますが、イギリスでは初等教育から行なうアクティブ・ラーニングが継続、強化されている。大教室での一方的な講義では得られない批判的思考が、多国籍な環境での活発な議論を通して鍛えられます。

もう一つ、オックスフォード大学で重視されるのが「ディシプリン」（discipline：習練）。専門の研究にあたって、基礎的な素養として「言語」の習得が求められます。語学はその最たるものですが、各分野の研究における用語の使用や常識、ルールも含まれます。また専門が仮に経済であっても、哲学や数学、法律、化学など他の分野の「言語」も学ぶ必要がある。言語の学習は地味で退屈なものです。しかしこの道を通らない人物には、学問的な議論すら許されない風土があります。

佐藤さんは、母校の同志社大学で少人数のアクティブ・ラーニングを実践されています。学生にとってじつに貴重な機会となっていることでしょう。

佐藤　指導的な地位に立つ人間に不可欠のスキル

私は、外務省の勤務時代から少人数の精鋭部隊をつくることには慣れています。五、六人の若手を二年間ほど預かり、「アメリカとロシアの外交官と対等に渡り合える外交官にしてほしい」と頼まれれば、育てる自信がある。反対に、大勢の人間を前にしたリーダーシップには苦手意識をもっています。

ジャーナリストの池上彰さんとの共著（『教育激変』中公新書ラクレ）でも述べましたが、アクティブ・ラーニングは基本的にエリート教育です。岡部さんが強調するように、イギリスでは初等教育の段階から他人の意見に左右されず、自分の考えや信念を周囲に伝えるプレゼンテーション能力が培われる。将来、指導的な地位に立つ人間には不可欠のスキルといえるでしょう。

私の授業ではスライドを決して使わず、毎回六〇~七〇問、質疑応答形式で覚えておくべき基礎的な事項を回答させます。それとは別に課題のテーマを与え、調べた結果や考えを二四〇〇字程度にまとめて発表させる。書評の課題もあります。毎回、神学書、哲学書、文学書を指定して一五〇〇字ほどの評論を書き、発表した内容をもとに議論を行なう。脱落した生徒の恨みを買うこともありますが、そもそも私の授業は少数の希望者を対象にした特別授業で、単位も出しません。能力を伸ばす余地がある学生を育てることに特化している。

いまの日本社会には「反エリート主義」が根強くあります。戦前の国家エリートが破滅的な戦争に突き進んだことへの反動と、現在の政治家や官僚の相次ぐ不祥事に対する幻滅によるものでしょう。

しかし日本がエリート教育をやってこなかったかというと、それは違う。事実、スポーツの世界では運動能力の高い人を幼少期から選抜し、鍛えるのが当たり前です。同じことを知識教育の分野でもやればよい。自分の能力をのちに社会へ還元する志をもったエリートの育成を、優先的な国家プロジェクトとして行なうべきでしょう。

同志社の神学部で教えた男子学生の一人は、地方の公立高校から二浪して大学に入りました。私は「大学のうちにいくらでもやり直しができる」と彼を励まして、国家公務員採用総合職試験の受験指導をしました。結果、中央省庁のキャリア官僚の登竜門となる試験に、東大生が合格者を占めるなかで見事通りました。ある役所に採用され、四月から官僚になります。

彼に二次試験の様子を聞いて驚いたのが、「いつも死にたいと思う」「自分が理解されないのは特別な人間だからだ」という内容の項目にイエスかノーかで答える質問があったことです。イエスと答えた時点で不採用に決まっているけれども、質問の存在自体が、霞が関エリートの歪みを表しているように思います。

しかし誤解を恐れずにいえば、偏差値競争がどれほど歪んでいようと、戦いに勝利しなければ話になりません。これは何も、東大や早慶に入らなくては駄目という話ではない。大学のランクに関係なく、社会へ出た卒業生のなかにモデルとなる人がいる大学、学部を調べて試験の傾向を分析することです。

最近は就職に際して学校名不問の企業も増えていますが、結局は偏差値の高い大学の学生が内定を得ることが多い。試験慣れしているからで、面接の受け答えも含め、事前にしっかり分析と対策を行なう。とりわけ東大生は就職試験に強く、さすが「受験のプロ」といえるでしょう。

岡部　イギリスは日本以上の学歴社会

じつは、イギリスは日本以上に極端な学歴社会です。政治の世界を例にとれば、日本ではよくも悪くも、首相の就任条件に学歴が問われることはありません。しかし、イギリスでは歴代の首相のうち二八人がオックスフォード大学の出身です。戦後に限ればチャーチル、キャラハン、メージャー、ブラウン首相以外はすべて同大の卒業生。さらに共通点として、首相に必須の専攻といわれるのがPPE（Philosophy, Politics and Economics：哲学を通じた政治・経済学）。歴代首相のほとんどがPPEを修めています。

興味深いのは、最新知識を求めるPPE派と歴史や文学を専攻する古典学派のあいだで、政策が真逆になること。EU離脱を例に挙げると、PPEを学んだキャメロン元首相はEU残留派です。対してEU離脱を主導したジョン・ソン首相はPPEを学んでおらず、専攻は古典学（ラテン語と古代ギリシャ語）でした。

ジョンソン首相と並び離脱を主導したマイケル・ゴーブ内閣府担当大臣も英文学の専攻で、やはりＰＰＥを学んでいない。ほかにも離脱派の要人には古典学、歴史学の専攻が多く、偶然とは思われない。ＥＵ離脱を求める一因に、古典を通じた大英帝国への郷愁と愛着の強さがあるような気がします。

ただし後述するように、ジョンソン首相はキャメロン元首相に対抗する政治的意図から、あえて残留派から離脱派に転じたと疑われる節があります。

イギリスのオックスフォード大学とライバル校のケンブリッジ大学を合わせて「オックスブリッジ」といわれることがあります。しかし、じつはオックスブリッジを卒業しただけではエリートとは見なされない。前述のパブリック・スクールこそ、イギリスにおけるエリートの養成所です。なかでもイートン校は二〇人の首相を輩出した群を抜く存在で、富裕層の子弟たちが学友と強固なネットワークを築き、成長してイギリス各界の枢要を占めてきました。

同校の卒業生で宿命のライバルともいえる関係にあるのが、キャメロン元首相とジョンソン首相です。ジョンソン氏が二歳上ですが、同時期にオックスフォード大学に進み、裕福な男子学生だけが集う社交クラブ「ブリンドン・クラブ」に所属しています。もともと奔放かつ明るい性格で人気者だったジョンソン氏に対し、キャメロン氏は地味で目立たない存在でした。

ところが、先に首相になったのはキャメロン氏のほうでした。大いに対抗心を燃やしたジョンソン氏は二〇一六年、キャメロン氏が仕掛けた国民投票に際して自らの信条に背き、EUからの離脱を訴えたといわれています。一方でキャメロン氏も、まさか国民投票で残留派が敗れるとは想定していなかった。英国をはじめ欧州に吹き荒れる反移民感情、反グローバリズムの風を読み違えたわけで、幼少時から閉鎖的な集団で育ったエリートの甘さも感じます。

イギリス人は、オックスブリッジにロンドン大学を加えたグループを「黄金の三角形」と呼びます。卒業生は政界や官界、法曹界、メディアといった特権的な職種の幹部をほぼ独占しています。

他方でイギリスには、およそ一〇〇の大学がありますが、学校間の格差が深刻になっている。大半が国公立校ですが、学費も日本と比べて高く、若者の負担になっています。教育を通じた機会の平等や階級間の格差の解消は進んでいないばかりか、むしろ広がっているのが実態です。

ロンドン大学キングス・カレッジの物理学科を卒業後、ユニバーシティ・カレッジ・ロンドンの応用数学科（計算流体力学専攻）を修了した知人がいます。ロンドン在住の清水健《たけし》氏（ＢＢＣワールドニュース勤務、放送通訳者・ジャーナリスト）は、イギリスのエリート教育を日本がそのまま導入する危険性について、次のように指摘しました。

「一億総中流が正しいと考えられた昭和の人間なので、英国のエリート教育が必ずしも優れているとは考えない」

「福島原発事故でも、新型コロナとの戦いでも、日本が難局を乗り越えられたのは現場の力が強いからだ」

「羊飼いがいないと群れが散り散りになってしまうと考える欧米人、そして欧米的な思想に染まる日本の大学研究者には、強力な指導者がいなくても日本がまとまって難局を乗り切りつつあることが、理解、説明できない」

新型コロナウイルスへの対応に関し、英エコノミスト誌は日本の感染症対策を絶賛し、最高のエリート教育を受けたジョンソン首相ら、欧米の指導者の行政手腕に疑問を投げかけました。

清水氏はこれを受けて「寺子屋教育で『将は三流、兵は一流』でやってきた日本が、エリート教育で『将は一流、兵は三流』の欧米の教育制度を真似るだけでは、将も兵も二流で終わってしまうのではないか」と述べています。

江戸時代の寺子屋は、町人に読み書き、そろばんを教えることで、封建時代に初等教育の基盤をつくりました。幕末の吉田松陰は、国禁の海外渡航を果たせずに謹慎中、八畳一間の松下村塾《しょうかそん》に身分の隔てなく有意の若者を集め、講義を行ないました。まさに寺子屋教育の伝統から、師弟が一緒に日本の未来を議論するアクティブ・ラーニングを実践したわけです。その教育風土から高杉晋作や伊藤博文、山県有朋といった明治維新を成し遂げる人材が育ちました。

同じく幕末に国禁を犯して脱国し、米欧で学んだのちにキリスト教の洗礼を受けて帰国した新島襄《にいじまじょう》は明治八年（一八七五年）、京都の地に同志社大学の前身となる同志社英学校を設立しました。同志社とは読んで字のごとく「志を同じくする者が創る結社」で、新島は勝海舟に「大学の完成には二百年」かかると答えたそうです（https://www.doshisha.ac.jp/information/history/neesima/neesima.html）。

日本が西洋列強に組み敷かれるかもしれない危機の瀬戸際にあって、幕末、明治の先人が教育に「国家百年の計」を託したのは、まことに立派だったというほかありません。彼らの志と実践がなければ、わが国の近代化はどれほど遅れていたことか。

佐藤　日本を守り、強くするのは教育以外にない

あえて逆説的で皮肉な言い方をすれば、日本の大学の世界ランキングは、現在よりさらに人口が減って国力が落ち、国内の失業が増えれば上がるでしょう。日本の大学教授が英語で講義をしないのも、エリートが国内に留まったままでもある程度、収入の高い仕事が見つかるからです。

ベンチャーを志す若者すら国内志向が強く、海外で真っ向勝負をするより競争が少ない日本で稼ぎ、早々に引退して悠々自適《ゆうゆうじてき》の人生を送りたい、と考える向きもあります。

日本の大学は、基本的に学会が発行する学会誌か、学内で発行する紀要に掲載された論文しか業績として認めません。社会的に影響力をもつ総合雑誌に寄稿しても、業績にいっさいカウントされない。また、学術論文には査読が必要ですが、場合によっては博士号をもたない人間からジャッジされたり、特定の仲間内での評価も横行しており、公正とはいえません。

さらに、日本の大学でも任期採用が増えてきたとはいえ、各ポストの定員が少ないうえ、古株の教授がほぼ定年まで居座っている。学生が教授を評価するアメリカの大学と比べれば、競争は緩《ゆる》いといわざるをえない。

一億二〇〇〇万人の人口を抱え、大学進学率が五割を超えるような国では、大学の国際化はどうしても遅れがちです。現任の教授に期待するよりも、国際的に活躍する人を連れてきて学生たちを感化させるなど、「日本と海外の両方で働いてみたい」と思わせることでしょう。

私が教える特別授業の受講生に、専門は十七世紀のフランス・プロテスタント神学なのですが、それと並行して「大学院修了後、商社に就職してアフリカで日本のプレゼンスを高めたい」といってレアメタル（希少金属）など資源輸入のモデルづくりをしている学生がいます。フランス語検定で留学レベルに相当する「B1」を獲得して自費留学し、簿記の勉強もしている。私はこの学生が商社員になれば、会社にとっても日本にとってもよい成果を上げると信じています。

現在の日本は、幕末明治と同じ危機的状況にあります。われわれがなすべきことは、彼のような志をもつ「個」を一人でも多く育てることではないでしょうか。日本を守り、強くするのは教育以外にないと確信します。

おわりに　北方領土問題の策定で役立った情報

本書の冒頭でも記したが、産経新聞社の岡部伸氏と初めて会ったのは、一九九六年十二月のある昼だった。そのとき私は失敗をしてしまった。皇居そばの和食レストランで昼食をとったのだが、ポケットの携帯電話が鳴ったので、席を立ったときに誤って味噌汁の椀を倒してしまい、汁のほぼすべてが岡部氏のズボンにかかってしまった。岡部さん、ほんとうにすみませんでした。ロシア人は、テーブルにあるグラスが倒れ、液体が流れると「こういうことがあった食卓にいた人には幸せが待っている」と言う。岡部氏は、産経新聞社モスクワ支局長として現地に赴任する直前に私からロシア情勢についてのブリーフィング（説明）を受けたいと声をかけてくださった。

私は一九九五年三月までモスクワの日本大使館に勤務していた。その後も東京の外務本省国際情報局分析第一課でロシア情勢をウォッチしていた。この時点で北方領土交渉は本格的に動いていなかったが（交渉が本格的に動くのは、一九九七年七月、橋本龍太郎首相がユーラシア外交に関する経済同友会演説を行なってから）、私は二〜三カ月に一回はモスクワに出張して、クレムリン（ロシア大統領府）高官や国会議員、有識者との人脈をメインテナンスしていた。

岡部氏は、ロシア語を話さないが、クレムリン、国会、外務省に深く食い込んだ。とくにロシア外務省で対日政策を策定する「奥の院」に入り込むことに岡部氏は成功した。

一九九七年十一月にクラスノヤルスクで日露首脳会談が行なわれ「東京宣言に基づき二〇〇〇年までに平和条約を締結すべく全力を尽くす」との約束（クラスノヤルスク合意）がなされたあと、私は月に最低一回はモスクワを訪れた。首脳会談の前には、五週間、毎週、モスクワを訪れたこともある。その際に必ず岡部氏と会って意見交換をした。ロシア外務省幹部は、われわれに話さない本音を岡部氏に語った。岡部氏からもたらされた情報は、日本の北方領土戦略を策定するうえでもたいへんに役立った。

ロシアはインテリジェンス大国だ。有能な新聞記者をFSB（ロシア連邦保安庁＝秘密警察）は警戒して、徹底的に監視する。岡部氏の動静も監視されていた。そして、FSBから見て岡部氏が一線を越えるような取材をしたときには然《しか》るべき警告が与えられた。そのエピソードについては本書でも語られているが、こういった体験を経て、岡部氏はインテリジェンスの世界に興味をもつようになったと私は見ている。

新聞記者の仕事をする傍らで、第二次世界大戦中のスウェーデンにおける日本のインテリジェンス活動について岡部氏は詳細な調査を行なった。その成果が二〇一二年に『消えたヤルタ密約緊急電――情報士官・小野寺信の孤独な戦い』（新潮選書、第二二回山本七平賞受賞）として発表された。作家・岡部伸の誕生だ。この頃から岡部氏との交遊が再開した。

岡部氏は、二〇一五年十二月から二〇一九年四月までイギリスに赴任、産経新聞社ロンドン支局長を務めた。イギリスもインテリジェンス大国だ。米国のＣＩＡ（中央情報局）、ＮＳＡ（国家安全保障局）は、通信傍受や人工衛星などのテクノロジーを用いたシギント（信号諜報）やビジント（映像諜報）は得意だが、ヒューミント（人的諜報）はいまひとつだ。イギリスはＧＣＨＱ（政府通信本部）が優れたシギント活動を行なっているが、アメリカの能力には及ばない。しかし、ＳＳ（保安部、いわゆるＭＩ５）、ＳＩＳ（秘密情報部、いわゆるＭＩ６）は傑出したヒューミント能力をもっている。岡部氏は、ロンドン支局長として勤務しているときにイギリスのインテリジェンス機関関係者とも良好な人脈を構築したようである。本書には、他のイギリス専門家がアクセスできないインテリジェンス関連の情報も多々盛り込まれている。

本書を上梓するにあたってはＰＨＰ研究所の永田貴之氏にたいへんにお世話になりました。どうもありがとうございます。

二〇二一年二月四日、曙橋（東京都新宿区）の自宅にて

佐藤　優

【著者略歴】

写真：Shu Tokonami

佐藤　優［さとう・まさる］

1960年、東京都生まれ。同志社大学大学院神学研究科修了後、外務省に入省。在モスクワ日本大使館勤務等を経て、国際情報局分析第一課主任分析官。2005年から作家として活動。著書に『国家の罠』（新潮社、毎日出版文化賞特別賞）、『獄中記』（岩波現代文庫）、『新約聖書（Ⅰ）（Ⅱ）』（解説、文春新書）など多数。

岡部　伸［おかべ・のぶる］

1959年、愛媛県生まれ。立教大学社会学部社会学科卒業後、産経新聞社に入社。モスクワ支局長、社会部次長、編集局編集委員、ロンドン支局長などを歴任。現在、同社論説委員。著書に『消えたヤルタ密約緊急電』（新潮選書、山本七平賞）、『イギリスの失敗』（PHP新書）、『新・日英同盟』（白秋社）などがある。

本書は、月刊誌「Voice」（PHP研究所）の連載「賢慮の世界史」（2020年４月～2021年４月号）を再構成したものである。

PHP新書

PHP INTERFACE
https://www.php.co.jp/

賢《けん》慮《りょ》の世界史

PHP新書 1250

国民の知力が国を守る

二〇二一年三月三十日　第一版第一刷

著者――佐藤 優／岡部 伸
発行者――後藤淳一
発行所――株式会社PHP研究所
東京本部――〒135-8137 江東区豊洲5-6-52
第一制作部 ☎03-3520-9615(編集)
普及部 ☎03-3520-9630(販売)
京都本部――〒601-8411 京都市南区西九条北ノ内町11
組版――宇梶勇気
装幀者――芦澤泰偉＋児崎雅淑
印刷所
製本所――図書印刷株式会社

ISBN978-4-569-84906-5

ＰＨＰ新書刊行にあたって

「繁栄を通じて平和と幸福を」（PEACE and HAPPINESS through PROSPERITY）の願いのもと、ＰＨＰ研究所が創設されて今年で五十周年を迎えます。その歩みは、日本人が先の戦争を乗り越え、並々ならぬ努力を続けて、今日の繁栄を築き上げてきた軌跡に重なります。

しかし、平和で豊かな生活を手にした現在、多くの日本人は、自分が何のために生きているのか、どのように生きていきたいのかを、見失いつつあるように思われます。そして、その間にも、日本国内や世界のみならず地球規模での大きな変化が日々生起し、解決すべき問題となって私たちのもとに押し寄せてきます。

このような時代に人生の確かな価値を見出し、生きる喜びに満ちあふれた社会を実現するために、いま何が求められているのでしょうか。それは、先達が培ってきた知恵を紡ぎ直すこと、その上で自分たち一人一人がおかれた現実と進むべき未来について丹念に考えていくこと以外にはありません。

その営みは、単なる知識に終わらない深い思索へ、そしてよく生きるための哲学への旅でもあります。弊所が創設五十周年を迎えましたのを機に、ＰＨＰ新書を創刊し、この新たな旅を読者と共に歩んでいきたいと思っています。多くの読者の共感と支援を心よりお願いいたします。

一九九六年十月

ＰＨＰ研究所

PHP新書

［政治・外交］

318・319 憲法で読むアメリカ史（上・下） 阿川尚之
426 日本人としてこれだけは知っておきたいこと 中西輝政
745 官僚の責任 古賀茂明
826 迫りくる日中冷戦の時代 中西輝政
841 日本の「情報と外交」 孫崎 享
893 語られざる中国の結末 宮家邦彦
898 なぜ中国から離れると日本はうまくいくのか 石 平
920 テレビが伝えない憲法の話 木村草太
931 中国の大問題 丹羽宇一郎
954 哀しき半島国家 韓国の結末 宮家邦彦
967 新・台湾の主張 李 登輝
979 なぜ中国は覇権の妄想をやめられないのか 石 平
988 従属国家論 佐伯啓思
1000 アメリカの戦争責任 竹田恒泰
1024 ヨーロッパから民主主義が消える 川口マーン惠美
1060 イギリス解体、EU崩落、ロシア台頭 岡部 伸
1076 日本人として知っておきたい「世界激変」の行方 中西輝政
1083 なぜローマ法王は世界を動かせるのか 徳安 茂
1122 強硬外交を反省する中国 宮本雄二
1124 チベット 自由への闘い 櫻井よしこ
1135 リベラルの毒に侵された日米の憂鬱 ケント・ギルバート
1137 「官僚とマスコミ」は嘘ばかり 髙橋洋一
1153 日本転覆テロの怖すぎる手口 兵頭二十八
1155 中国人民解放軍 茅原郁生
1157 二〇二五年、日中企業格差 近藤大介
1163 AI監視社会・中国の恐怖 宮崎正弘
1169 韓国壊乱 櫻井よしこ／洪 熒
1180 プーチン幻想 グレンコ・アンドリー
1188 シミュレーション日本降伏 北村 淳
1189 ウイグル人に何が起きているのか 福島香織
1196 イギリスの失敗 岡部 伸
1208 アメリカ 情報・文化支配の終焉 石澤靖治
1212 メディアが絶対に知らない2020年の米国と日本 渡瀬裕哉
1225 ルポ・外国人ぎらい 宮下洋一
1226 「NHKと新聞」は嘘ばかり 髙橋洋一
1231 米中時代の終焉 日高義樹
1236 韓国問題の新常識 Voice編集部［編］
1237 日本の新時代ビジョン 鹿島平和研究所・PHP総研［編］
1241 ウッドロー・ウィルソン 倉山 満

［経済・経営］

1033 自由のジレンマを解く　松尾　匡
1080 クラッシャー上司　松崎一葉
1084 セブン-イレブン1号店　繁盛する商い　山本憲司
1088 「年金問題」は嘘ばかり　髙橋洋一
1105 「米中経済戦争」の内実を読み解く　津上俊哉
1114 クルマを捨ててこそ地方は甦る　藤井　聡
1136 残念な職場　河合　薫
1162 なんで、その価格で売れちゃうの?　永井孝尚
1166 人生に奇跡を起こす営業のやり方　田口佳史/田村　潤
1172 お金の流れで読む　日本と世界の未来
ジム・ロジャーズ［著］/大野和基［訳］
1174 「消費増税」は嘘ばかり　髙橋洋一
1175 平成の教訓　竹中平蔵
1187 なぜデフレを放置してはいけないか　岩田規久男
1193 労働者の味方をやめた世界の左派政党　吉松　崇
1198 中国金融の実力と日本の戦略　柴田　聡
1203 売ってはいけない　永井孝尚
1204 ミルトン・フリードマンの日本経済論　柿埜真吾
1220 交渉力　橋下　徹
1230 変質する世界　Voice編集部［編］
1235 決算書は3項目だけ読めばいい　大村大次郎

［人生・エッセイ］

263 養老孟司の〈逆さメガネ〉　養老孟司
340 使える!『徒然草』　齋藤　孝
377 上品な人、下品な人　山﨑武也
507 頭がよくなるユダヤ人ジョーク集　烏賀陽正弘
600 なぜ宇宙人は地球に来ない?　松尾貴史
742 みっともない老い方　川北義則
763 気にしない技術　香山リカ
827 直感力　羽生善治
859 みっともないお金の使い方　川北義則
938 東大卒プロゲーマー　ときど
946 いっしょうけんめい「働かない」社会をつくる　海老原嗣生
1067 実践・快老生活　渡部昇一
1112 95歳まで生きるのは幸せですか?　池上　彰/瀬戸内寂聴
1132 半分生きて、半分死んでいる　養老孟司
1134 逃げる力　百田尚樹
1147 会社人生、五十路の壁　江上　剛
1148 なにもできない夫が、妻を亡くしたら　野村克也
1158 プロ弁護士の「勝つ技法」　矢部正秋
1179 なぜ論語は「善」なのに、儒教は「悪」なのか　石　平
1211 保険ぎらい　荻原博子